Connie Palmen
Die Erbschaft

Roman
Aus dem Niederländischen
von Hanni Ehlers

Diogenes

Titel der 1999 im Auftrag
der Stichting Collectieve Propaganda van
het Nederlandse Boek (CPNB)
im Verlag Prometheus, Amsterdam,
erschienenen Originalausgabe: ›De Erfenis‹
Copyright © 1999 by Connie Palmen
Die deutsche Erstausgabe
erschien 2001 im Diogenes Verlag
Literaturnachweis am Ende des Bandes
Umschlagbild: Anna Keel,
›Stilleben mit roten Tulpen und zwei
Steinfiguren vor Balkontür‹, 1990
(Ausschnitt)

Veröffentlicht als Diogenes Taschenbuch, 2003
Alle deutschen Rechte vorbehalten
Copyright © 2001
Diogenes Verlag AG Zürich
www.diogenes.ch
250/03/44/1
ISBN 3 257 23342 6

In meiner Ansprache bei der Beerdigung von Lotte Inden erzählte ich, was sie zu mir gesagt hatte, als ich für sie zu arbeiten begann.

»Ich habe nicht genug Zeit, sehr anständig und höflich zu dir zu sein«, hatte sie gesagt, »verzeih mir also bitte im voraus meine Grobheiten.« Was sie danach gesagt hatte, verschwieg ich: »Und wenn du das nicht abkannst, mußt du gehen.«

Hinterher sprach mich einer ihrer Brüder an und sagte, sie habe nie Zeit gehabt, Zeit sei das einzige gewesen, womit sie in ihrem Leben gegeizt habe, er habe sie seit der Kindheit nicht anders gekannt.

»Meine Zeit ist mein Leben«, habe sie zu ihm gesagt.

Solche Sätze habe ich später in ihren Papieren wiedergefunden. Es stimmt auch, daß sie ansonsten mit nichts gegeizt hat. Sie wie ihre Freunde waren die großzügigsten Menschen, denen ich je begegnet bin. Als ich sie einmal nach einer Erklärung für dieses Maß an Großzügigkeit fragte, sagte sie, das sei doch logisch, geizige Menschen könnten niemals gute Schriftsteller sein, nie, und man könne an der Art, wie jemand mit Geld und Gut umgehe, ablesen, was er an Liebe, Ideen, Bewunderung, Freundschaft und all dem anderen Nicht-Greifbaren zu geben habe.

»Das Nicht-Greifbare ist die Kehrseite des Wortes«, sagte sie und, daß Schreiben Geben sei, nicht mehr und nicht weniger als das. Manchmal fragte ich weiter, weil ich nicht gleich verstand, was sie meinte. Meist war sie auch bereit, mir etwas bis in alle Einzelheiten zu erklären, doch als sie kränker wurde, sagte sie zunehmend häufiger, daß ich die Antwort schon in ihren Papieren finden würde und sie jetzt in Ruhe lassen solle, sie sei müde. Abschließend fügte sie dann noch an: »Siehe unter…«, und es folgte ein Wort, auf das sich das Gespräch bezogen hatte. Siehe unter *Geld, Worte, Freundschaft.*

Vor fünf Jahren stellte sie mich ein, für rund um die Uhr, bei freier Kost und Logis. Ich bezog eine Etage ihres Grachtenhauses und war in der ersten Woche vornehmlich mit der Montage von Gegensprechanlagen, Alarmklingeln und sonstigen sinnreichen elektrischen Anlagen beschäftigt, mittels derer sie mich erreichen konnte, wenn sie mich brauchte. Sie rüstete mich mit Piepser und Handy aus, und von da an konnte sie mich zu jeder Tages- und Nachtstunde beanspruchen, wo und in wessen Gesellschaft ich mich auch gerade befand. Einige meiner Freunde fragten mich besorgt, ob ich mir denn im klaren sei, was da alles auf mich zukomme, wenn ich für sie arbeitete. Ich weiß nicht, ob ich mir im klaren war, was da auf mich zukam, aber ich war mir sicher, daß es keine Arbeit sein würde, daß ich es nicht als Job betrachtete. Es war die Veränderung in meinem Leben, nach der ich mich immer gesehnt hatte, und diese Veränderung machte mich glücklich. In gewissem Sinne wurde damit mein größter Wunsch (von anderen, insbesondere von meinem Vater, mit viel Spott und Häme, als Ding der Unmöglichkeit belächelt) doch wahr. Auf die Frage, was ich werden wollte, hatte ich nämlich, anfangs naiv und später mit dem Trotz eines verletzten Kindes, geantwortet, daß ich von Beruf Leser werden würde. Ich bin meiner Wunschvorstellung nie so nahe gekommen wie in den Jahren nach meinem Einzug bei Lotte Inden.

Zum erstenmal begegnet war ich ihr in dem Verlag, in dem ich als freier Lektor in der wissenschaftlichen Redaktion arbeitete. Ich war dreißig,

Niederlandist und unzufrieden. Sie arbeitete, obwohl sonst bei einem anderen Verlag, an einer unserer Essaysammlungen über das zwanzigste Jahrhundert mit. An jenem Vormittag war der Großteil der Autoren, die einen Beitrag zu dem Band beisteuerten, in unserem Sitzungszimmer zusammengekommen, und ich teilte Kaffee aus. Es war Sommer und sehr stickig im Raum, obwohl die Fenster offenstanden. Daß ich einen langärmeligen Pullover trug, sei ihr als erstes an mir aufgefallen, sagte sie später, und wenn ihr so etwas auffalle, frage sie sich sofort, was es damit auf sich habe. Als ich neben ihr stand, eine Tasse Kaffee vom Tablett nahm und mich vorbeugte, um sie ihr hinzustellen, rutschte mein rechter Ärmel ein wenig hoch. Da schaute sie mit einem kurzen Ruck auf und wandte mir ihr Gesicht zu.

»Du solltest den Mann verlassen«, sagte sie.

Sie sah, daß mich das in Verlegenheit brachte, und da hat sie mir lächelnd kurz die Hand auf den Arm gelegt.

Erst nach Wochen habe ich sie um Aufschluß gebeten. Ich bin nämlich, glaube ich zumindest, nicht der Typ, dem man ansieht, ob er was mit Männern oder mit Frauen hat. Sie antwortete nicht gleich, sondern sah mich ein wenig spöttisch an.

»Nie Sherlock Holmes gelesen?«

»Nein.«

»Ich auch nicht«, sagte sie, »den kenn ich nur aus dem Fernsehen«, und sie lachte kurz, laut und ansteckend.

»Frauen beißen und kratzen. Nur Männer hinterlassen ihre Fingerabdrücke im Fleisch«, sagte sie.

Zu dem Zeitpunkt war ich schon so geübt, daß ich dem Tonfall, in dem sie einen Satz beendete, entnehmen konnte, daß sie einen weiteren Kommentar für nicht der Mühe wert hielt.

So viel ich auch von ihr gelernt habe und so gut sie mich auch auf meine Aufgabe vorbereitet hat, ich weiß, daß ich kein Schriftsteller bin. Natürlich hat mich, wie jeden leidenschaftlichen Leser, in jungen Jahren die Sehnsucht gequält, das beherrschen zu können, wovon in gewissem Maße das eigene Glück abhängig ist, das, worin man so passiv schwelgt, selbst fabrizieren zu können, doch ich habe festgestellt, daß diese Passivität zu mir paßt, daß ich nie auf die Seite der Macher geraten werde, weil ich nicht über die Persönlichkeit eines Machers verfüge. Durch die Jahre mit ihr habe ich besser zu begreifen gelernt, woran es mir fehlt, beziehungsweise wovon ich zuviel habe, so kann man es auch ausdrücken.

»Gebe Gott, daß du nicht den heimlichen Wunsch hegst, Schriftsteller zu werden, und hoffst, ich könne dir dabei helfen, denn das kann ich nicht«, sagte sie während der ersten Wochen unseres Kennenlernens. Ich habe ihr damals geantwortet, daß sie da keine Bange zu haben brauche, daß ich nichts anderes sein wolle als das, was ich sei, nämlich Leser.

»Dann ist es gut«, sagte sie. Sie fügte hinzu, daß es wichtig sei, mir viel über das Schreiben zu erzählen, und daß sie es unerträglich finden würde, wenn sie dabei den Eindruck gewänne, sie würde mich damit quälen.

Sie hatte sich beim Verlag nach mir erkundigt und um meinen Namen und meine Telefonnummer gebeten und rief mich am Tag nach der Sitzung bei mir zu Hause an.

Sie nannte ihren Namen, klärte mich auf, wie sie an meinen Namen und meine Telefonnummer gekommen sei, und fragte ohne weitere Überleitung, ob ich mit meiner Arbeit und meinem Leben zufrieden sei.

»Nein«, sagte ich.

Nachdem sie dann noch (mit leichter Scheu, wie ich meinte) gefragt hatte, ob ich ihre Bücher kannte, nein, ob mir ihre Bücher gefielen, und ich geantwortet hatte, daß ich wirklich sehr viel von ihren Büchern hielte, schlug sie mir vor, sie noch am gleichen Abend, um acht Uhr, besuchen zu kommen. Sie würde mir einen Vorschlag in bezug auf ein anderes Leben und eine vielleicht etwas eigenartige Aufgabe unterbreiten. Sie gab mir ihre Adresse und legte auf.

An jenem Abend habe ich um Punkt acht Uhr bei ihr geklingelt, und sie hat mir von ihrer Krankheit erzählt und gesagt, was sie von mir erwarte. Sie hatte mit breitem Lächeln auf dem Gesicht in der Türöffnung gestanden. Sie sei erleichtert über meine Pünktlichkeit gewesen, erklärte sie das Lächeln, denn sie hätte es für ein böses Vorzeichen gehalten, wenn ich auch nur fünf Minuten zu spät erschienen wäre. Wir haben dann stundenlang miteinander geredet. Und als ich spätnachts nach Hause zurückkehrte, war mir klar, warum ihr das so wichtig gewesen war.

Für unser Kennenlernen hatte sie einen Monat angesetzt, und in diesem Monat exerzierten wir all das durch, was wir in den kommenden Jahren täglich oder mit einer gewissen Regelmäßigkeit machen würden. In der ersten Woche fuhren wir in die Bretagne, in ihr Haus auf einer Anhöhe mit Blick übers Meer. Auf der Hinfahrt saß sie Stunden hintereinander am Steuer, schweigend und mit sichtlichem Spaß an der Geschwindigkeit und der Musik von verschiedenen Popsendern.

»Autofahren ist eine der angenehmsten Formen des Stillsitzens«, hatte sie bei unserer Abreise gesagt.

Nach dem zweiten oder dritten Stopp setzte sie sich ohne vorherige Ankündigung, daß nun ich mit Fahren dran sei, auf den Beifahrersitz, lehnte den Kopf zurück und schloß die Augen. Normalerweise machte es mich ungeheuer störrisch, widerborstig, unleidlich, unglücklich und am Ende ungeschickt, wenn man mich auf die Probe stellte. Warum ihre Gegenwart statt dessen beruhigend auf mich wirkte, kann ich nicht genau sagen, aber ich fürchte, es hatte mit der von ihr in Aussicht gestellten Zukunft zu tun, einer Zukunft, in der sie zunehmend abhängiger von mir werden würde und in der sie all das, was sie nun noch mit solcher Verve machte, nicht mehr können würde.

Nach diesem einen Monat bescheinigte sie mir, daß sie mich möge, daß ihr meine Gesellschaft angenehm sei, daß sie mich intelligent, geistreich, anziehend und so weiter finde und große Bewunderung dafür habe, wie mühelos ich mit den Menschen zurechtkäme, denen sie mich vorgestellt habe. Ihr Stolz verbiete ihr, mich zu fragen, ob ich gern in ihrer Gesellschaft sei, sagte sie, und außerdem bräuchte ich sie auch gar nicht zu mögen, denn sie bezahle mich ja schließlich dafür, daß ich sie ertrüge, doch als sie mir die Frage stellte, ob ich den Job wolle, und auf eine Antwort wartete, runzelte sich die Haut ihrer Stirn vor Anspannung.

Ich sagte, daß ich nichts lieber wolle, als hier bei ihr im Haus zu wohnen, um das zu tun, was sie von mir erwarte, daß mir aber eines Sorgen bereite. Im zurückliegenden Monat hätte ich mich in allem beweisen können, worin ich versiert sei, ich hätte gekocht, sei Auto gefahren, hätte sie hochgehoben und die Treppen hinauf- und hinuntergetragen (probehalber), ich hätte ihre Verträge und ihren sonstigen Bürokram studiert und mit ihrem behandelnden Arzt über den möglichen Verlauf ihrer Krankheit gesprochen, vor nichts hätte ich mehr Bange, außer vor dem einen, das sie von mir wolle und über das sie seit dem Abend meines ersten Besuchs nicht mehr mit mir gesprochen habe.

»Wenn du mit mir zurechtkommst, kommst du damit auch zurecht«, entgegnete sie darauf entschieden. »Mit mir zurechtzukommen ist erheblich schwieriger, als mit meinen Worten zurechtzukommen.«

So kurz davor, dieses Leben in ihrem Dienst aufzunehmen, traute ich mich nun auch endlich, sie zu fragen, was sie an jenem Sommertag dazu veranlaßt hatte, sich nach mir zu erkundigen, warum sie ausgerechnet mich ausgewählt hatte. Sie lachte mich an und errötete leicht.

»Weil ich eine Frau bin, die Fingerabdrücke im Fleisch hinterläßt«, sagte sie dann.

Sie bewohnte zwei Stockwerke, das Erdgeschoß und die Etage darüber. Ich hatte einen separaten Aufgang zum zweiten Stock, der nun meine Etage sein würde. Das darüberliegende geräumige Dachgeschoß diente als Speicher für das, was sie ihr »Erbgut« nannte, die ersten Male noch spöttisch, doch diese Benennung schliff sich so sehr bei uns ein, daß wir sie schon bald ohne jede Ironie benutzten. Was wir da sagten, wurde uns immer erst dann wieder bewußt, wenn andere Leute zu Besuch waren und wir ihrer Reaktion anmerkten, daß es in der Tat seltsam klingen mußte, wenn sie von »dem ganzen Erbgut eines fast fünfzigjährigen Lebens« sprach, das da auf dem Dachboden herumliege.

Zum Zeitpunkt, als wir uns kennenlernten, wußten nur ihr Verleger, einige ihrer besten Freunde und ich von ihrer Krankheit. Sie hatte sich anfangs vorgenommen, ihre nächsten Angehörigen erst einzuweihen, wenn ihr die Bewegungen allmählich schwererfallen würden, wenn die Krankheit also nicht mehr zu verbergen sein würde. Das sei das Schwerste für sie, sagte sie, sich zwischen der Einsamkeit der Geheimhaltung zu entscheiden und der Gemeinsamkeit des Wissens um das Schreckliche, also dafür, den anderen dieses Wissen anzutun.

»Die Geheimhaltung verändert mich, und das Wissen verändert die anderen«, sagte sie und daß sie nicht wisse, was besser sei, nicht unbedingt für sie, sondern für die anderen. »Von jetzt an geht es erst recht um die anderen.«

Ich erinnerte sie an den Inhalt ihres unlängst für den Sammelband eingereichten Essays, in dem sie postuliert habe, Wissen sei Liebe, und hielt ihr vor Augen, daß sie den Menschen, die sie am meisten liebe, mit ihrer Geheimniskrämerei ja dann Wissen und somit Liebe vorenthalte.

»Angenommen, dieses Schicksal hätte einen Ihrer Brüder getroffen«, sagte ich, »hätten Sie es dann nicht vom ersten Augenblick an wissen wollen?«

Sie hat mich entsetzt angesehen und genickt, und dann hat sie geweint. Das war das erste Mal, und ich wußte mir damals noch keinen Rat damit.

Um mir die Situation zu erleichtern, hat sie mich unter Tränen angelacht.

»Siehe unter *Familie*«, brachte sie hicksend hervor.

Nicht lange danach hat sie ihre Brüder zu sich eingeladen. Sie bereitete ein Abendessen vor, schminkte sich und zog was Hübsches an. Obwohl ich Vorbehalte angemeldet hatte, wollte sie mich an diesem Abend unbedingt mit dabeihaben.

»Ich habe dich auch, um sie zu beruhigen«, sagte sie.

An dem Abend, als ich sie zum erstenmal besucht hatte, hatte sie es mir so erzählt: »Bei mir ist eine Krankheit ausgebrochen, und diese Krankheit wird mich langsam, aber sicher lähmen. Es gibt keine Heilmittel, mit denen man sie aufhalten oder wegbekommen könnte. Und da auch das Herz ein Muskel ist, wird sie mich umbringen. Keiner weiß, wann, aber mit zehn Jahren soll ich nicht mehr rechnen, sagt mein Arzt.«

Ihren Brüdern gegenüber brachte sie diesen Ton nicht fertig. Sie saßen um ihren Tisch herum, ihre Brüder und deren Frauen, und es ging sehr vergnüglich zu. Erst bei Kaffee und Calvados fing sie davon an. So leichthin wie möglich redete sie von einer progressiven Muskelerkrankung und vermied jede Anspielung auf deren Ausgang. Sie konnte lediglich sagen, daß sie in den kommenden Jahren – wann es soweit sein würde, wisse niemand – wahrscheinlich nicht mehr so gut werde laufen können, daß das aber keinerlei Problem sei, da sie ja mich zu ihrer Betreuung eingestellt habe. Sie flachste, daß sie schon immer heimlich davon geträumt habe, bewegungsunfähig zu werden, von einer Ohnmacht geträumt habe, die sie all solcher Banalitäten wie einkaufen, Briefe zum Briefkasten bringen, radfahren, laufen, ja so gut wie jeder Form der Bewegung entheben werde. Gut, das Tanzen werde sie vermissen, das Schreiben und natürlich das Autofahren. Sie bat mich zu demonstrieren, wie mühelos ich sie aus einem Sessel heben könne, und das stimmt, da war wirklich nichts dabei, denn sie war leicht, sie wog keine fünfzig Kilo, doch als ich an jenem Abend den linken Arm unter ihre Beine schob und den rechten um ihr Kreuz legte, kam sie mir auf einmal bleischwer vor, und ich senkte den Blick auf ihren Halsansatz, um nicht mit ansehen zu müssen, wie ihre Brüder versuchten, ihre Niedergeschlagenheit zu verbergen und ihre Schwester in dem Glauben zu wiegen, sie nähmen ihr die Scharade, die sie ihnen vorgaukelte, tatsächlich ab.

Gegen Mitternacht verabschiedete sie ihre Brüder, und danach hockte sie vor dem Kamin und starrte in das glimmende Feuer. Sie sah aus, als wolle sie in Ruhe gelassen werden, als könne sie kein Wort mehr herausbringen. Ich habe ihr, ehe ich in meine Etage hinaufging, noch ein Glas Rotwein hingestellt, aber sie sagte nichts und blickte nicht vom Feuer auf.

In jener Nacht machte ich zum erstenmal, was in den kommenden Jahren zu meiner täglichen Arbeit werden würde. Ich ging ins Dachgeschoß, steuerte das Regal mit den schwarzen Ringbüchern an, zog das mit F-H heraus und schlug *Familie* auf. Aus der Zusammenstellung auf der ersten Seite entschied ich mich für *Brüder* – siehe: Salinger, J. D. *Franny and Zooey.* Das dünne amerikanische Taschenbuch wurde von fünf säuberlich zusammengefalteten beschriebenen DIN-A-4-Seiten aufgebläht.

»Eine merkwürdige Liebe, die Liebe zu den Brüdern, sie ist mit nichts zu vergleichen. Ich werde nie von jemandem, mit dem ich Freundschaft schließe, sagen, daß dieser Freund mein Bruder sein könnte, daß ich dasselbe für ihn empfände wie für einen Bruder, denn das ist nie und nimmer das gleiche. Nur Menschen, die keine Brüder haben, machen aus Freunden und Geliebten Brüder und denken dann, diese Liebe sei einfacher, doch wer Brüder hat, weiß, daß das nicht stimmt. Dennoch hat niemand so gut wie Salinger begriffen, was für eine Art von Liebe es denn ist, und Salinger ist Einzelkind.

Ich kann daraus ablesen, auf welche Art seine Eltern ihn geliebt haben.

Wahrscheinlich kann man zu Beginn seines Lebens gar nicht anders lieben als so, wie man selbst geliebt wird. Und manchmal braucht man dann den Rest seines Lebens dazu, sich das wieder abzugewöhnen, damit man auf eine Art lieben lernen kann, die weniger schmerzlich ist. Ich habe mit sechzehn zu lernen begonnen. Tims Lehrerin erteilte mir eine Lektion.

Obwohl ich schon zehn war, hatte ich nicht mitbekommen, daß sie schwanger gewesen war. Mit einem Mal war sie weg und lag im Krankenhaus in der Stadt. Wir hätten ein Brüderchen bekommen, sagte mein Vater strahlend. Er stand an der Spüle und hielt die Hand unter den Wasserstrahl, um zu fühlen, ob die Temperatur richtig sei. Dann nahm er einen Waschhandschuh, machte ihn naß und rief meinen ältesten Bruder zu sich. Wir waren es längst gewohnt, uns allein zu waschen, aber das wollte ihm keiner sagen. Er wusch uns auch die Ohren, die wir immer vergaßen. Es war herrlich, von ihm berührt zu werden, auch wenn ein Waschlappen dazwischen war. Wir mußten unsere Sonntagskleider anziehen, für unsere Mutter, sagte er, denn es gehe ihr nicht so gut, und wir wüßten doch, wie gern sie es habe, wenn wir anständig aussähen. Ich entschied mich für eine weiße Bluse, und ich mußte ein paarmal hintereinander schlucken, als ich sie aus meinem Schrank zog, die Nase in die Baumwolle drückte und den Geruch des von meiner Mutter gewaschenen, gestärkten, gebügelten und zusammengelegten Kleidungsstücks einsog.

Timmie hatte einen großen roten Kopf, und meine Mutter hatte dunkelblaue Ringe unter den Augen. Wir taten alle, als sähen wir es nicht, und wir sagten deideideidei zu dem Baby, ließen einer nach dem anderen unseren Zeigefinger von diesen kleinen, durchscheinenden Klauen umklammern, und taten unserer Mutter gegenüber ganz fröhlich.

Auf dem Heimweg sagte mein Vater, daß Mama schlecht schlafen könne in diesem Krankensaal mit all den kichernden jungen Frauen um sie herum, die bis tief in die Nacht quasselten. Ich hatte wirklich keine Vorstellung davon, wie alt meine Mutter war, aber daß sie erheblich älter war als die anderen Frauen in dem Saal, das hatte ich gesehen.

Sie weinte, als sie mit dem Baby auf dem Arm nach Hause kam.

Das war 1963, und ›postnatale Depressionen‹ gab es damals noch nicht. Zumindest bei uns in der Nachbarschaft hatte keiner so was. 1963 mußte man über ein Baby vor Glück strahlen, man hatte gar keine andere Wahl. Der Arzt hat meiner Mutter damals eine Schachtel Pillen gegeben, die in so einer numerierten Plastikscheibe steckten, ohne ihr zu sagen, was für Pillen es waren. Nur, daß sie sie jeden Tag zur gleichen Zeit einnehmen müsse, hat er gesagt und, daß sie das auch nicht einen Tag vergessen dürfe. Wenn eine Scheibe leer sei, müsse sie sieben Tage warten und dann eine neue anfangen. Sie kam erst Jahre später dahinter, daß sie die erste in ihrem Umfeld war, der man eine Antibabypille verschrieben hatte. Der Arzt hatte nicht dazugesagt, daß diese Pille einen womöglich dick und schrecklich traurig machen konnte. Ich glaube, das wußte er selber nicht und er hätte einen ausgelacht, wenn man ihn gefragt hätte, ob es sein könne, daß die Pillen traurig machten, und gesagt, das könne wirklich nicht sein, in so einer kleinen Pille stecke bestimmt kein Kummer. Damals wußten sie meiner Meinung nach noch überhaupt nichts von Hormonen und so, wirklich rein gar nichts.

Innerhalb kürzester Zeit verwandelte sich Timmie von einem rot angelaufenen, kahlen Neunpfünder in ein wunderhübsches, zerbrechliches, liebes und ein wenig ängstliches Kind. Ich verlor ihn keine Sekunde aus den Augen, nahm ihm alles ab, was ihm nicht auf Anhieb allein gelang, und glaubte, ihm damit etwas Gutes zu tun.

An dem Tag, als meine Mutter ihn in die Vorschule brachte – und mir verschwieg, daß er herzzerreißend geweint hatte, als sie ihn dort zurückließ –, brach ich in der Schule meinen persönlichen Rekord, und es gelang mir zum erstenmal, in jeder Unterrichtsstunde Strafarbeiten aufzukommen. So konnte ich abends nicht mal mit Timmie spielen, weil ich zehn chemische Gleichungen fünfzigmal abschreiben, drei Ringbuchblätter mit einem Satz aus einem Roman des achtzehnten Jahrhunderts (›*Mettez votre bonheur à les aider, comme elle l'y avait mis elle-même*‹), den wir gerade lasen, füllen und auf drei weiteren eine positive und eine negative buchhalterische Bilanz ausführen mußte.

Schlimm fand ich das nicht.

Ich machte gerne Strafarbeiten, das wirkte beruhigend auf mich.

Von dem Moment an, da Timmie in die erste Klasse ging, hatte ich keine Ruhe mehr. Die Grundschule befand sich auf demselben Gelände wie die weiterführende Schule, auf die ich ging, und so war Timmie zu nahe, als daß ich ihn hätte ausblenden können. Wenn ich irgendwo ein Kind weinen hörte, dachte ich, daß es unser Timmie sei, und dann war es aus mit meiner Konzentration. In den Unterrichtspausen schlich ich mich durch das Gebüsch, das die Gebäude trennte, zu Timmies Schule hinüber. Die erste Klasse war im Seitenflügel eines imposanten alten Gebäudes untergebracht. Es war ein helles Klassenzimmer mit einer Fassade aus lauter hohen, in kleine Scheiben unterteilten Fenstern. Zweimal am Tag drückte ich mir die Nase an so einer Scheibe platt und fand erst Ruhe, wenn ich Timmies blonden Schopf zwischen den anderen Kindern entdeckt und mich überzeugt hatte, daß er nicht weinte, sondern über einen Zeichenblock oder ein Buch gebeugt war oder mit den anderen spielte. Einmal hatte die ganze Klasse Grüppchen gebildet, und nur unser Timmie saß allein an einem Tisch. Das brach mir fast das Herz, und ich wäre am liebsten ins Klassenzimmer gestürmt, um seine Absonderung aufzuheben, aber ich mußte zu Französisch.

Der Lehrer, den wir in Französisch hatten,

war ein sanftmütiger, romantischer und entgegenkommender Mensch. Er spielte uns *Le moribond* von Jacques Brel vor und *La fortune* von Léo Ferré und auch *Non, non, rien n'a changé* von den Poppys, weil wir noch jung und fröhlich und die Poppys eher etwas für unsere Generation waren. Man merkte, daß er sich zwingen mußte, streng zu einem zu sein oder einen zu bestrafen.

›*Mademoiselle Inden, qu'est-ce qu'il y a?*‹ fragte er schon wenige Minuten nachdem die Stunde begonnen hatte. Wir mußten im Unterricht französisch sprechen, also sagte ich: ›*Rien.*‹

›*C'est rien, monsieur.*‹

›*C'est rien, monsieur*‹, sagte ich mit Kloß im Hals, denn ich konnte es gerade nicht so gut ertragen, daß irgend jemand, egal wer, etwas an mir auszusetzen hatte. Er schwieg kurz. Dann sagte er auf französisch, daß mich meine Augen zu einer schlechten Lügnerin machten. Der Sanftheit dieser Bemerkung war ich noch weniger gewachsen als irgendwelcher Kritik oder Strafe, und unvermittelt kullerte mir eine Träne über die Wange, die ich nicht wegzuwischen wagte, weil es dann erst recht aufgefallen wäre, aber es war sowieso schon zu spät, denn mein Lehrer winkte mich zu sich, öffnete die Tür zum Flur und ließ mich vorangehen. Er legte mir eine Hand auf die Schulter, was ja alles sehr nett und gut gemeint war, und es war mir auch furchtbar peinlich, daß ich ihm nicht mal auf niederländisch auf seine Frage antworten konnte, was denn los sei.

Was hätte ich sagen sollen?

Unser Timmie hat ganz allein dagesessen, und das kann ich nicht ertragen?

Oder, daß jede Sekunde Kummer, Einsamkeit, Leid, Schmerz, Unvermögen und sonstiges Elend im Leben meiner Eltern und meiner Brüder für mich eine unerträgliche Vorstellung sei und ich mein Leben dafür gegeben hätte, wenn es in meiner Macht gestanden hätte, ihnen das zu ersparen?

Salinger ist mal zum Vorwurf gemacht worden, daß er die Familie Glass, also die Brüder und ihre Schwester, zu goldig, zu süßlich und zu lieb dargestellt habe, daß sie zu nett und zu fürsorglich miteinander umgingen. Der Kritiker, der das schrieb, hat doch wirklich nicht die leiseste Ahnung, wie manche Familien gestrickt sind, wirklich nicht. *Too cute*, daß ich nicht lache.

Natürlich hatte Tims Lehrerin längst mitbekommen, daß ich seine Schwester war. Außerdem hatte sie offenbar scharf aufgepaßt, wann ich nur während einer Pause hereinschaute und wann ich mehr Zeit hatte, weil ich meinen schulfreien Nachmittag hatte. Der war donnerstags, und sie hat also einfach gewartet, bis es wieder mal Donnerstag war, und hat mich dann von drinnen hereingewinkt.

Ich schämte mich plötzlich fürchterlich.

Ich war sechzehn, hatte aber die Statur und plötzlich auch wieder die Unbeholfenheit einer Zwölfjährigen. Mit rotem Kopf stand ich vor der Klasse mit sechs-, siebenjährigen Kindern und wußte nicht, wohin mit mir. Die Lehrerin stellte mich als Charlotte Inden, die Schwester von Timmie, vor und sagte, daß ich ein bißchen im Unterricht mithelfen würde, beim Basteln. Dann forderte sie die Kinder auf, mit dem Zusammenkleben und Ausschneiden, mit dem sie beschäftigt gewesen waren, als ich hereinkam, weiterzumachen, und nachdem die sich auch gleich wieder ans Werk gemacht hatten, nahm sie mich beiseite und redete in gedämpftem Ton auf mich ein. Sie war ein lieber Mensch, das konnte man an ihrem Gesicht ablesen. Man sah ihr auch an, daß sie nach den richtigen Worten suchte und schrecklich darum bemüht war, mich nicht vor den Kopf zu stoßen.

Sie habe mich sehr wohl registriert, sagte sie,

und sie verstehe auch, weshalb ich jeden Tag nach meinem Bruder sehen käme, doch so lieb das auch gemeint sei, derart viel Fürsorge und Behütung seien vielleicht gar nicht so gut für Timmie, für sein Selbstvertrauen und für seine Entwicklung. Timmie könne ruhig ein wenig selbstbewußter werden, und dabei könne ich ihm auch helfen, aber dann auf die richtige Art und Weise, dazu müßte ich ihn nämlich gerade mehr sich selbst überlassen.

›Zwei Mütter, das ist eine zuviel‹, sagte sie leise, und dieser Satz verankerte sich mit der Kraft der Wahrheit in meinem Kopf, um nie wieder daraus zu verschwinden. Ich war zu Tode erschrocken, wie recht sie hatte.

Was ich davon halten würde, fuhr sie fort, wenn ich, anstatt jeden Tag nach Tim zu sehen, nur einmal die Woche käme, an den Donnerstagnachmittagen, und bis zu den Sommerferien in der Bastelstunde mithelfen würde, so wie jetzt. Selbstverständlich hätte ich mich dann aber nicht nur um Tim zu kümmern, sondern müsse meine Aufmerksamkeit auf alle Kinder verteilen, wie das auch eine richtige Lehrerin tue.

Ich sagte zu. Wochenlang ging ich donnerstags nachmittags in die Grundschule und überschüttete jedes Kind mit meiner Aufmerksamkeit, nur unseren guten Timmie nicht, den bedachte ich nur mit einem Blick aus den Augenwinkeln, ließ ihn aber ansonsten ein bißchen links liegen.«

Unter dem Text stand ein Datum: 11. Oktober 1988. Ich faltete die Seiten wieder zusammen und steckte sie in das Taschenbuch von Salinger zurück. Es dauerte eine Weile, ehe ich einschlafen konnte. Meine Aufregung in bezug auf das, was mich in den kommenden Jahren erwartete, war zu groß.

Der Arzt habe ihr geraten zu genießen, viel zu reisen und all das zu tun, was ihr Spaß mache, hatte sie am Abend meines ersten Besuchs erzählt, als sie mir auch erklärt hatte, wobei ich ihr in den nächsten Jahren würde helfen müssen.

»Sobald Ärzte von Reisen reden, weiß man, was die Uhr geschlagen hat«, sagte sie.

Sie habe ihm geantwortet, daß sie gar keine Lust habe zu verreisen und neue Erfahrungen zu sammeln, zumal sie noch längst nicht mit ihren vergangenen Erfahrungen fertig sei, und die hätten ja doch ältere Ansprüche.

»Mein Glück ist«, sagte sie zu mir, »daß ich mein Glück schon früh kennengelernt habe, mir also klar war, daß nicht die Bewegung mein Ding ist, sondern das Stillsitzen, und daß ich gar nichts anderes tun wollte, als was ich schon tat, nämlich weiterlesen, weiterdenken, weiterschreiben.«

Über das Buch, das wir in den kommenden Jahren machen würden, sagte sie, daß das eine alte Idee sei. Wann genau sie zum erstenmal darüber nachzudenken begonnen habe, würde sie nachschlagen müssen, aber es sei bestimmt mehr als fünfzehn Jahre her und sie habe sich die ganzen Jahre heimlich auf diese umfangreiche, schwierige Arbeit gefreut.

»Anstoß zu der Idee war das erste Buch von Marc Aurels *Selbstbetrachtungen*«, erzählte sie. »Bevor er zu seinen eigentlichen Überlegungen kommt, führt er die Personen auf, denen er bestimmte Charaktereigenschaften, Einsichten, Lehren und Lebenseinstellungen zu verdanken hat. Vater, Mutter, Großvater, Urgroßvater, Freunde, Lehrer, alle, die ein Steinchen dazu beigetragen haben, ihn zu dem Menschen zu formen, der er zu dem Zeitpunkt ist, läßt er Revue passieren. Das geht dann in etwa so: Dem habe ich dies zu verdanken, und dank Sowieso habe ich das Buch von dem und dem Philosophen gelesen, und wieder ein anderer verhalf mir zu der Einsicht, daß ich nie etwas auf Gerüchte geben solle, und von jener Person habe ich gelernt, mit einem so schrecklichen akuten Schmerz umzugehen, wie er mich nach dem Tod meines Sohnes überkam, und wieder ein anderer war mir lebendiges Beispiel dafür, wie wertvoll es sein kann, wenn man sich unter allen Umständen die gute Laune bewahrt, und so weiter. Ich fand das großartig. Nicht, wie es dort geschrieben steht, hat mich beeindruckt, sondern der Dank an sich. Das heißt erkennen, daß man anderen Dank schuldet. Bedanken kann man sich nur, wenn man sich bewußt geworden ist, daß man etwas bekommen hat.«

Sie hatte unsere Gläser wieder vollgeschenkt, sich eine Zigarette angezündet und eine kleine Weile geschwiegen. Ich glaube nicht, daß ich damals schon irgendeine Vermutung zu hegen begann, was für ein Buch sie vor Augen hatte.

»Es ist rührend, wie klein eigentlich Marc Aurels Liste ist«, sagte sie dann leise. »Das Lernen muß damals, in den Jahrhunderten vor Christus und den ersten Jahrhunderten danach, noch sehr überschaubar gewesen sein.«

»Ein paar Verwandte, ein paar Lehrer und eine Handvoll Bücher«, zählte ich auf.

Sie sah mich an und fragte, ob ich Erinnerungen daran hätte, was ich wann und wie von jemandem gelernt hatte. Ich war selbst erstaunt, wie viele Bilder mir da prompt durch den Kopf schwirrten, wagte ihre Frage aber nicht zu bejahen, ehe ich nicht eines dieser Bilder anhalten und greifen konnte.

»Ja«, sagte ich schließlich und schickte entschuldigend hinterher, daß es eine etwas törichte Erinnerung sei.

»Törichte Erinnerungen gibt es nicht«, entgegnete sie kurz.

Daraufhin erzählte ich ihr, daß mir noch buchstäblich bis in die Fingerspitzen gegenwärtig sei, wie es mir zum erstenmal gelang, mir selbst die Schnürsenkel zuzubinden. Mit wachsender Ungeduld hatte mein Vater es mir jeden Tag aufs neue vorgemacht, aber wie man die Schnürsenkel ineinanderschlang, war mir ein unentwirrbares Rätsel geblieben, und ich dachte, daß es mir niemals gelingen würde, etwas so Vertracktes wie eine Schleife zu produzieren.

Dann erinnerte ich mich doch wahrscheinlich auch, wo ich mich mit meinem Vater befunden hätte, als es mir endlich gelungen sei, meine Schnürsenkel zu verknoten, was ich da angehabt hätte, wie mein Vater gerochen habe, wie er mich angesehen habe, meinte sie und, daß das Triumphgefühl, das ich damals gehabt haben müsse, noch irgendwo in meinem Körper gespeichert sei und ich es ohne weiteres wieder hervorholen könne.

»Ja«, hatte ich gesagt, »das stimmt.«

Und in dem Moment hatte ich beschlossen, ohne noch genau zu wissen, was sie von mir verlangen würde, daß ich alles tun würde, um soviel wie möglich in ihrer Nähe sein zu können.

Vormittags war sie am liebsten allein. Wir hatten vereinbart, daß sie mich vor neun Uhr anrufen würde, wenn sie beim Frühstück Wert auf meine Gesellschaft legte, doch das war, zumindest in den ersten Jahren, meist nicht der Fall, und ich sah sie dann erst gegen drei Uhr nachmittags. Bis dahin arbeitete sie an ihrem Roman *Ganz der Ihre,* ihrer letzten Veröffentlichung, aus dem sie mir abends manchmal Abschnitte vorlas. Es sei die fingierte Autobiographie eines Fans, die ihr, wie sie mir erklärte, zum besseren Verständnis einer ihrer Meinung nach charakteristischen Erscheinung des zwanzigsten Jahrhunderts verhelfen solle.

»Seit den zwanziger Jahren dieses Jahrhunderts haben die Medien unsere Auffassung von dem, was Wirklichkeit ist, verändert«, sagte sie und daß die wesentlichste Frage hierbei natürlich sei, als wie wirklich wir uns selbst noch wähnten. »Jeder von uns ist doch mittlerweile Bewunderer von irgendwem, den wir nie persönlich kennengelernt haben, das ist das zwanzigste Jahrhundert. Wir kennen das Leben solcher Leute, wir wissen, wie sie reden und gehen, wir leben mit ihrer Nähe, ohne sie je zu berühren. Jeder von uns ist Teil des Publikums von irgendwem, der auf die eine oder andere Weise in der Welt der Fiktion angesiedelt ist.«

Ich nutzte die Vormittage zur Erledigung ihrer Post und ihres Bürokrams sowie einer meiner Aufgaben, die sich schwer in nur einem Wort zusammenfassen läßt, die wir aber unter uns als »Destillieren« bezeichneten. Beim Destillieren ging es um solche Bücher, denen sie nicht von ihr geschriebene Texte beigelegt hatte, sondern in denen sie auf den leeren Blättern am Ende, am Seitenrand oder auf dem Vorsatz, Anmerkungen gemacht hatte. Oft war es nicht mehr als ein Wort, mit dem sie einen Absatz auf einer bestimmten Buchseite zusammenzufassen versuchte. *Mitleid, Liebe, Familie, Originalität, Selbstzerstörung, Schreiben* und so weiter. Ich mußte dieses Lemma dann mit Angabe von Buchtitel sowie Monat und Jahr, in dem sie das Buch gelesen hatte, in den Computer übertragen und die Passage, auf die sich das Lemma bezog, daruntertippen.

»Irgendwann kommt unwiderruflich der Tag, an dem ich kein Buch mehr aus dem Regal ziehen und in der Hand halten kann«, hatte sie gesagt. Sie hoffte, daß sie dann aber schon noch in der Lage sein würde, mit einem Finger den Computer zu betätigen und sich auf diese Weise den Zugang zu ihrem Erbgut zu bewahren.

Am Tag nach der Nacht, in der ich ihre Ausführungen zu *Brüder* gelesen hatte, konnte ich es kaum bis drei Uhr abwarten, um ihr endlich von meinem Leseeindruck zu berichten und daß ich mir nun besser vorstellen könne, wie ihr Buch aussehen würde, woraus es gemacht sein würde, und da rief sie mich um die Mittagszeit an, um mir mitzuteilen, daß sie mir gleich einen Text faxen werde, den ich abtippen und an eine Zeitschrift schicken solle, und daß ich danach frei hätte, sie werde abends ein paar Freunde besuchen. Sie klang kühl und distanziert, und ich war selbst überrascht, welch bleierne Niedergeschlagenheit mich daraufhin plötzlich überkam.

Keine fünf Minuten nachdem ich mit ihr gesprochen hatte, ratterte das Fax, und ich las den Text, den sie auf Anfrage einer ausländischen Zeitschrift verfaßt hatte. Er war für eine monatliche Kolumne bestimmt, in der der jeweilige Autor verriet, was er oder sie mochte und was nicht. Beim Lesen verflog meine Niedergeschlagenheit, und ich tippte den Text schmunzelnd ab. An den oberen Rand der Seite hatte sie mir in ihrer kritzeligen Handschrift eine kleine Mitteilung geschrieben: »Lieber Max Petzler, so sieht's aus. Kein Grund, Dir Sorgen zu machen. Bis morgen. Deine verdorbene Vedette.«

»Ich mag Matjes, aber er darf nicht zu kalt und nicht zu warm sein. An manchen Tagen mag ich Matjes überhaupt nicht, auch wenn er nicht zu kalt und nicht zu warm ist, ohne daß ich wüßte, warum er mir dann gerade zuwider ist.

So geht es mir auch mit anderen Dingen, die ich mag. Aus unerfindlichen Gründen mag ich sie manchmal nicht.

Viel zu sehr mag ich, was schlecht ist. Ich trinke gern viel, rauche gern viel, fahre mit dem Auto gern schnell und ohne Pausen einzulegen, und manchmal finde ich es herrlich, mich fallen zu lassen, ehe ich mich mit einem Blick über die Schulter davon überzeugt habe, ob auch jemand dasteht, der mich auffangen wird. Aber Betrunkensein, Lungenkrebs, Unfälle mit tödlichem Ausgang oder schon wieder ein Loch im Kopf mag ich nicht.

Ich mag es wirklich sehr, jemanden sehr zu mögen, und ich mag auch die Unterschiede zwischen den Lieben und denke gern darüber nach, wie es sich mit der Liebe zu diesem einen verhält und wie mit der zu einigen anderen, zu Familienangehörigen, Freunden, zu solchen, die wieder gehen, und solchen, die bleiben, zum Essen und Trinken, zum Wissen und zum Schreiben, und ich mag es, in der dauernden Erwartung zu leben, daß ich irgendwann das Rätsel werde lösen können, warum ich alles, was ich mag, manchmal nicht mag.«

Es lief darauf hinaus, daß ich ihr nie von jenem ersten Mal, da ich mich in ihrem Erbgut zurechtzufinden suchte, erzählt habe. Schon bald tat ich nichts anderes mehr. Regelmäßig veranlaßte mich irgend etwas in einem Gespräch oder einem Auftrag von ihr, in einem der schwarzen Hefter oder in ihrer Bibliothek nach einer näheren Beschreibung des jeweiligen Themas zu suchen. Ich las und behielt, daß es sich dort befand.

»Ohne Gedächtnis kein Schriftsteller«, sagte sie.

Sie verblüffte mich mit dem ihren. Sie wußte immer genau, in welchem Buch sich ein Autor mit einem Thema befaßt hatte, das sie gerade beschäftigte.

»Morgen mußt du mal kurz das Tagebuch von Gombrowicz destillieren«, sagte sie dann, »ich muß mich mit ihm über die Kindheit austauschen.« Oder sie sagte, daß sie *Justine* von Durrell brauche, weil sie glaube, daß eine ihrer Figuren zu große Ähnlichkeiten damit aufzuweisen beginne.

»Es ist nicht so, daß ich wörtlich weiß, *was* da steht, ich weiß nur, *daß* es da steht«, entgegnete sie, als ich ihr meine Bewunderung dafür aussprach, daß sie das alles behielt. »Und das kann jeder«, sagte sie, »du auch. Jeder lebt mit so einem Gedächtnis, nur wissen die meisten nicht mehr, woher sie all das Wissen haben. Davon wird unser Buch auch handeln.«

Ich war ihr Sekretär, beziehungsweise ihr Geheimschreiber, wie sie es nannte. Meine Aufgabe war es, dafür zu sorgen, daß ihr ihre Erinnerungen zugänglich blieben.

Die Wirklichkeit habe sie eingeholt, hatte sie seinerzeit ohne einen Hauch von Betrübnis erzählt. Sie habe schon immer die Idee gehabt, den großen Roman mit dem Tod einer der Figuren beginnen zu lassen. Dabei erbten die Angehörigen eine Bibliothek. Schon bald stelle sich heraus, daß die meisten Bücher mit persönlichen Dokumenten, Briefen, Romanansätzen vollgestopft seien oder Verweise darauf enthielten, inwiefern eine bestimmte Passage oder ein einzelner Satz zu einer neuen Idee angeregt oder einem bereits vorhandenen Gedanken eine neue Wendung gegeben hätte. In anderen Büchern wiederum fänden sich Verweise auf Ordner, Mappen und Notizbücher, in denen festgehalten sei, welche Verknüpfungen es zwischen dem Buch und von der verstorbenen Figur ausgearbeiteten Themen gebe, und in denen zum Beispiel auch der Einfluß von Popsongs, Filmen und Fernsehprogrammen erläutert werde.

»Natürlich bin ich eine megalomane Zicke, die anhand dieser Bibliothek am liebsten eine Geschichte des zwanzigsten Jahrhunderts widerspiegeln wollte«, lästerte sie, »und wenn du mich jetzt fragen würdest, müßte ich einräumen, daß ich es im Grunde meines Herzens immer noch möchte. Nicht *die* Geschichte, wohlgemerkt, sondern *eine* Geschichte, ich bin ja nicht bekloppt.«

Ich fragte sie (natürlich), was denn das für eine Geschichte sein würde.

Mit ausladender Armbewegung zeigte sie auf das Bücherregal in ihrem Wohnzimmer.

»Darüber, was jemand in der heutigen Zeit wissen kann«, sagte sie, »was alles auf einen einwirken und einen beeinflussen kann. Von irgendwoher muß es doch kommen. Du ahnst ja gar nicht, welchen Spaß es mir macht, hemmungslos animistisch zu tun«, fuhr sie vertraulich fort, »und

38

manchmal meine ich die Bücher in meinem Regal rascheln zu hören, zu hören, wie sie sich großmütig gegenseitig beraten und miteinander debattieren. Dann wackelt so ein Buch vor Lebendigkeit und scheuert sich genüßlich an einem anderen. ⌈Jeder Geist schärft seinen Verstand durch Reibung an anderen Geistern«, schloß sie.⌋

»Keiner singt sein eigenes Lied, ist es das?«

»Nein«, entgegnete sie leidenschaftlich, »das ist es nicht, man singt sehr wohl sein eigenes Lied. Den Begriff der Originalität abzuschaffen ist genauso dumm, wie es dumm ist, Gott für tot zu erklären. Als wenn man das so mir nichts, dir nichts machen könnte! Nur weil Originalität nicht mehr dasselbe bedeutet wie vor ein, zwei Jahrhunderten und nichts Romantisches mehr daran ist, kann man sie doch noch nicht abschaffen, das ist nun wirklich zu simplifizierend und, wie soll ich sagen, unerwachsen. Das Schöne am Wachsen ist, daß man mehr und mehr Komplexität verkraftet. Nichts ist so radikal und beschränkt wie ein Pubertierender oder Halbwüchsiger. Schrecklich. Ich könnte heute noch vor Scham im Boden versinken, wenn ich daran zurückdenke, welche verstiegenen Ansichten ich in meiner Unerwachsenheit vertreten habe, so extrem, so dumm eigentlich. Radikalität ist die Unfähigkeit, Veränderungen zu verkraften, Begriffen eine größere Komplexität zuzubilligen. Licht bedeutet doch auch schon lange nicht mehr das, was es vor Erfindung der Elektrizität bedeutete, oder? Das muß man zulassen können. Mehr noch, so etwas muß man mit Freuden begrüßen. In seinem Leben Komplexität zuzulassen hat etwas mit Zeit zu tun, mit der Zeit, in der man lebt, und mit der Zeit, die man lebt. Je älter man wird, desto größer wird der Mut zur Originalität und damit zur Absonderung. Man braucht nicht zu leben wie alle anderen. Wenn man jung ist, traut man sich noch nicht, allein und anders zu sein. Vielleicht kann man es dann auch noch gar nicht. Man muß noch mitmachen, abgucken und nachahmen, ausprobieren, dazugehören. Solange man jung ist, will man noch kein schwieriges Leben, das kommt erst später, wenn man zu seinem großen Schrecken feststellt, daß man wohl die Veranlagung dazu hat, und eines Tages die schaurige und aufregende Entdeckung macht, daß man zum erstenmal etwas Eigenständiges gedacht, beziehungsweise sich eine eigene Meinung über etwas gebildet hat, und zwar eine konträre.«

»Aber denken denn nicht die meisten Menschen, daß alles, was sie denken, auf eigenständigem Denken beruht?«

»Ich fürchte, ja. Uns in dieser Illusion zu wiegen, ist offenbar ein Schutzmechanismus unseres Geistes, denn wenn ich eins herausgefunden habe, dann, daß sogar der letzte Blödmann irgendwo denkt, er sei Gott.«

»Während es dir natürlich lieb wäre, wenn sich so ein Blödmann darüber im klaren wäre, daß er ein Blödmann ist«, sagte ich grinsend.

»O ja«, bestätigte sie fröhlich, »*I'm a sucker for reality.*«

Sie schlug sich vor Spaß auf die Knie, und wir lachten uns beide müde.

Bevor wir aber schlafen gingen, kam sie noch kurz auf das Buch zurück. Als Idee für einen Roman tauge das Ganze zwar, sagte sie, aber in der Wirklichkeit halte sie es für grausam, ja, abscheulich.

»So eine Erbschaft möchte ich niemandem zumuten«, sagte sie.

Ohne daß sie mich je um Diskretion gebeten hätte, hielt ich mich anderen gegenüber, was das Leben mit Lotte Inden betraf, bedeckt. Fragen von Freunden, wie es denn bei uns zugehe, irritierten mich, und die Neugierde hinsichtlich ihrer Person empfand ich als ungehörig. Die einzige, mit der ich über sie sprach, war Margaretha Busset, eine Freundin meiner Eltern, die ich von frühester Kindheit an kannte und die ich mir als kleiner Junge immer als meine leibliche Mutter ausgemalt hatte. Sie war die einzige in meiner Umgebung, die mit meinem Vater jovial umging und sich nicht scheute, ihm die Wahrheit ins Gesicht zu sagen. Sie kannten sich aus ihrer Jugendzeit und hatten an derselben Universität Medizin studiert. Nach beider Facharztausbildung (Margaretha in Psychiatrie, mein Vater in Gynäkologie) hatte mein Vater die Praxis von Margarethas Vater übernommen, und da Margaretha alleinstehend war und nicht vorhatte, daran je etwas zu ändern, hatten meine Eltern das zur Praxis gehörige Wohnhaus bezogen, und Margaretha hatte sich ein etwas kleineres Haus in derselben Straße gekauft. In all den Jahren war es ihr gelungen, nicht auf die Manöver meines Vaters einzugehen, durch die er sich ansonsten mit jedem, der nicht sein Patient war, anzulegen verstand. Als Kind war ich vor Angst und Ehrfurcht erschauert, wenn sie ihm die Leviten las oder mit souveräner Überlegenheit eine Meinungsverschiedenheit zwischen ihnen beendete, indem sie ihn anherrschte, daß er ein schrecklicher Wichtigtuer sei, und mit spöttischem »Also dann bis morgen, du Ekel« unser Haus verließ.

Weder in meiner Kindheit noch im späteren Leben habe ich je einen Menschen mit so gepflegter Aussprache solche Grobheiten von sich geben hören.

Margaretha nahm mich schon früh unter ihre Fittiche. Die schwache Gesundheit meiner Mutter veranlaßte meine Eltern, ein paarmal im Jahr längere oder kürzere Auslandsreisen zu machen, und während dieser Wochen wohnte ich bei Margaretha. Nur im Sommer fuhr ich zusammen mit meinen Eltern in unser Ferienhaus in der Schweiz, und das einzige, an das ich mich von dort erinnere, ist, daß ich mich zu Tode langweilte und für meine Mutter schämte, die sich so ungeschickt dabei anstellte, es mir recht zu machen. Ich hatte Heimweh nach Margaretha.

»Ich eigne mich nicht zur Mutter«, sagte sie einmal zu mir, als ich schon älter war, »aber deine Mutter noch viel weniger. Deine Mutter hat einzig und allein Augen für deinen Vater, und den ganzen Tag hat sie nichts anderes im Sinn, als ihm zu gefallen. Sie denkt, sie sei noch genauso in ihn verliebt wie am ersten Tag, als sie sich kennenlernten, und da dein Vater ein eitler Mensch ist, möchte er das auch gern glauben. Doch was sie für Verliebtheit hält, ist verkappte Angst. Wie fast alle, die ich kenne, hat auch deine Mutter insgeheim Angst vor deinem Vater. Es gibt Menschen, die andere nur lieben können, wenn es ihnen schlecht geht, und zu denen gehört leider dein Vater. Also hütet sich deine Mutter, je von ihren Wehwehchen zu genesen. Und falls du es dich schon mal gefragt haben solltest, die Antwort ist: Nein. Nein, ich war nie in deinen Vater verliebt, denn ich habe nie auch nur eine Sekunde lang Angst vor ihm gehabt.«

Margaretha war die Frau, von der ich die Liebe zum Lesen erbte. Sie teilte sich das stattliche Haus am Park mit ihren Büchern und unterhielt sich bereits, als ich noch klein war, mit mir über die Autoren, die sie bewunderte, als wären es ihre Freunde. Das erste Buch, das sie mir zu lesen gab, war *Heimatlos* von Hector Malot. Nach zwei Tagen hatte ich es ausgelesen und ging zu ihr, um es ihr zurückzubringen.

»Du hast das Buch gut behandelt«, sagte sie, als sie es mit prüfendem und liebevollem Blick von mir entgegennahm, »und ich hatte es von dir auch nicht anders erwartet.«

Sie legte das Buch zwischen uns auf den Tisch, bedeutete mir, ihr gegenüber Platz zu nehmen, und fragte: »Und, was hast du gelesen?«

Noch ganz erfüllt von Remi, dem alten Vitalis, dem Äffchen, das stirbt, und dem glücklichen

Ende, begann ich mit der Nacherzählung der Geschichte. Sie wartete, bis ich mal kurz Luft holte.

»Das meine ich nicht, Max«, sagte sie bedächtig. »Ich kenne die Geschichte. Ich habe dich nicht gefragt, was drinsteht, ich hab gefragt, was *du* gelesen hast.«

Nur Margaretha konnte so etwas auf eine Art sagen, daß ich nicht gleich den Kopf einzog vor Unsicherheit, Verängstigung und Scham. Daher war Margaretha auch der einzige Mensch, mit dem ich über das Leben mit Lotte Inden reden konnte. Und Margaretha war diejenige, die mich eines Tages fragen konnte, ob ich in Lotte Inden verliebt sei, ohne daß ich darüber gleich beleidigt gewesen wäre und diesen Gedanken als lächerlich und abstrus von mir gewiesen hätte, bevor ich überhaupt in mich hineingehorcht hatte, ob nicht vielleicht was Wahres dran war.

Wie sehr ich die Abende in dem Haus an der Gracht genossen habe, Abende, an denen nicht mehr geschah, als daß Lotte sprach und ich zuhörte, kann ich nur schwer in Worte fassen. Ob es nun Sommer war oder Winter, immer zündete sie das Kaminfeuer an und setzte sich so nah davor, daß ihr Gesicht rot glühte, wenn sie es mir zuwandte. War das Kaminfeuer mal nicht an, dann lief der Fernseher. Es hat Jahre (zwei) gedauert, ehe sie mir mal gestattet hat, mit ihr zusammen fernzusehen.

»Fernsehen ist was Einsames, und wenn es nicht einsam ist, ist es intim«, hatte sie dazu gesagt.

Als ich dann neben ihr saß und wir zusammen fernsahen, stellte ich fest, daß zwischen ihrer Art, stundenlang ins Feuer zu starren, und ihrer Fernsehguckerei (ebenfalls stundenlang) kaum ein Unterschied bestand. In ihrer manchmal etwas bizarren Logik war der Fernseher eine gute Alternative zum Feuer.

»Ich habe zweifellos mehr daraus gelernt, auf diesen flimmernden Bildschirm zu schauen, als aus dem Gestarre in die Flammen«, sagte sie, fügte aber hinzu, daß sie letzteres schamlos tue, während sie sich für das stundenlange Fernsehen manchmal schäme. »Diese Scham habe ich zu begreifen versucht«, sagte sie, »siehe unter *Fernsehen*, aber so ganz ist mir das wohl nicht gelungen, denn ich hab diese Scham nie ganz wegdenken können, und das war ja der Zweck des Ganzen. Warum sonst sollte man sich die Mühe machen, über irgend etwas nachzudenken, wenn nicht, um das Leben angenehmer zu machen?«

»Fernsehen ist was Einsames, und wenn es nicht einsam ist, dann ist es intim«, las ich nachts. »Jemand, mit dem man zusammen fernsieht, den muß man lieben, sonst geht es nicht. Dann redet man zuviel und spielt sich auf und tut, als hätte man nicht einen Teil von sich abgesondert. Zu zweit fernsehen ist intim, weil man zwar zusammen ist, dem anderen aber trotzdem diese Einsamkeit und Absonderung, diesen abgedrifteten, ein wenig betäubten Geist zugesteht, der sich, dessen ist man sich bewußt, gerade mal eine Weile nicht mit einem beschäftigt oder zumindest nicht darüber reden will, falls er es doch tut. Der Fernseher erlegt jedem Schweigen auf.

Es ist natürlich illusorisch zu denken, daß man genau dasselbe sieht, wenn man sich dasselbe anschaut. Man teilt zwar die Bilder miteinander, aber nicht mehr das, was sie im Kopf in Gang setzen, dieses höchst Individuelle, das Denken ist.

Ich habe in meinem Leben nur mit meinen nächsten Angehörigen und mit TT ohne die geringste Scham stundenlang fernsehen können. Von TT wußte ich, daß er genau wie ich Tausende von Gedanken hatte, während er fernsah. Manchmal zappte er durch die Kanäle, und wir spielten ein Spiel: Fiktion oder Wirklichkeit? Das zu unterscheiden wurde immer schwieriger. Bei einem amerikanischen Präsidenten erwartet man es ja mittlerweile fast, aber daß selbst Papst Johannes Paul II. mir allmählich wie der perfekte Schauspieler vorkommt? (Ausarbeiten in: *Zwanzigstes Jahrhundert.*)

Ich habe mich oft gefragt, warum ich mich schäme, wenn ich einen Abend lang allein ferngesehen habe.

Vielleicht hat mir ein guter Freund unbewußt die Antwort darauf gegeben, als er erklärte, warum er seine Familie so gern um sich habe: ›Sonst ist niemand da, von dem ich mich zurückziehen kann.‹

Heute, am Ende dieses Jahrhunderts, bekommen wir immer mehr von der Wirklichkeit zu sehen und verfügen über jegliche Mittel, um miteinander in Kontakt zu treten, und das Resultat ist, daß wir uns mehr und mehr von der Wirklichkeit und von den anderen zurückziehen können. Mag sein, daß das eine Schande ist, aber ich bin mir da nicht so sicher. Es hat auch was für sich.«

Ohne zu ahnen, welchen Effekt die Bemerkung auf sie haben würde, fragte ich sie eines Nachmittags, was sie mit TT machen wolle. (TT, Jurist und bekannter Autor von Kriminalromanen, vor einigen Jahren plötzlich gestorben, war ihre große Liebe gewesen.)

»Wieso?« fragte sie mit so unverhohlener Verärgerung, daß ich erschrak.

Mit leichtem Stocken antwortete ich, ich hätte das nur gefragt, weil TT in so vielen Beiträgen vorkomme, daß ich mir Gedanken gemacht hätte, wer denn nun alles als Figur in ihrem Buch auftreten werde, wie sie ihn jeweils vorstellen und beschreiben werde und so.

»Darüber habe ich noch gar nicht nachgedacht, das wirst du dann schon sehen, wenn es soweit ist«, entgegnete sie scharf.

»Na, sag mal, kann ich denn ahnen, daß dich das derart auf die Palme bringt?« versuchte ich noch einzulenken, weil sie so ein frotzelnder Kommentar mitunter zum Lachen brachte, aber es half nicht, sie sah mich unverändert grantig an.

»Ich sage TT«, sagte sie, ohne den Blick von mir zu wenden, »für dich heißt es immer noch Mr. Tallicz.«

Sie beugte sich wieder über das Buch, in dem sie gerade gelesen hatte, und schaute nicht mehr davon auf. Ich kehrte in meine Etage zurück und sprach sie den ganzen Tag nicht mehr. Am nächsten Morgen klingelte das Telefon ungewöhnlich früh, und sie entschuldigte sich für ihre heftige Reaktion.

»Haßt du mich schon ein bißchen?« fragte sie, nachdem sie ihr Verhalten mit einer Erklärung versehen hatte.

Im Laufe jener Woche erzählte ich Margaretha von Lottes Ausbruch aufgrund meiner Bemerkung.

»Trauer«, murmelte Margaretha, »das ist Trauer. In ihrer persönlichen Mythologie – wohlgemerkt, junger Mann, die haben wir alle –, also in ihrer persönlichen Mythologie ist der Name ihres Mannes gleichbedeutend mit dem Des Einen, den nur die Christen aussprechen dürfen. Ihr Mann ist für sie gottgleich geworden, und diese Heiligung drückt sich in der persönlichen Haltung zu diesem Namen aus. In dem Moment, da du ihren Kosenamen für ihren Mann in den Mund nimmst, begehst du ein Sakrileg.«

»Aber sie benutzt seinen Namen doch auch in ihren Texten«, sagte ich, um mich zu verteidigen.

»Ohne Vokale«, erwiderte Margaretha, »wie bei JHWH. Sie muß ihn sehr geliebt haben. Der Name ist ihr heilig. Genausowenig, wie ein Gläubiger Gott einen anderen Namen geben kann, kann sie es übers Herz bringen, ihn mit einem Harry, Hans oder Henk auszustaffieren.«

Und im Anschluß daran fragte Margaretha, welche Entschuldigung Lotte denn für ihren Ausbruch angeführt habe.

»Eine literarische«, antwortete ich. »Sie sagte, daß sie wahrscheinlich deshalb so verärgert reagiert habe, weil ich ihr mit meiner Frage verdeutlicht hätte, daß sie noch nicht genug über ihr Buch wisse. Sie wisse zum Beispiel tatsächlich nicht, was mit den Figuren sein würde. ›Manche Bücher brauchen keine Figuren‹, sagte sie, ›zumindest keine Figuren im üblichen Sinne, mit blondem oder braunem Haar oder so, mit einem Alter, einem Bäuchlein, einem prallen Busen, einem eigenartigen Gang oder gar der Andeutung eines Seelenlebens.‹«

»Und weiter?«

»Siehe unter *Charaktere*.«

»Ich glaub, ich mag dieses Aas«, sagte Margaretha grinsend.

Auf meinen Vorschlag reagierte sie anfangs einigermaßen gereizt.

»Aber ich will doch gerade Ordnung schaffen, Max«, sagte sie, »ich will nicht, daß noch mehr Material dazukommt.«

Ich beteuerte ihr, daß ich die Bänder nur benutzen würde, wenn ich sie beim Schreiben benötigte, und daß ich sie nach Gebrauch vernichten würde. Ein einziges würde ich vielleicht für mich persönlich behalten, frotzelte ich, aber wirklich nur eines, um mich später, vor dem Einschlafen, damit zu trösten (»mit Ihrer ach so lieblichen Stimme«).

»Du hast so ein gutes Gedächtnis, du kannst es auch ohne das behalten«, versuchte sie es noch, halb flehend. »Schriftsteller arbeiten nicht mit Kassettenrecordern, zumindest nicht, daß ich wüßte. Oder meinst du etwa, Eckermann sei mit Tonbandgerät hinter Goethe hergehüpft?«

»Die gab's damals noch nicht.«

»Ach, komm, das weiß ich doch auch. Es ist ja nur bildlich gemeint. In einem Dialog schreibt man eher auf, was gesagt werden könnte, als das, was tatsächlich gesagt worden ist.«

»Ja«, bestätigte ich, »aber ich habe nicht das Talent, dich so klingen zu lassen, wie du klingst. Und Sie sprechen, wie Sie schreiben.« (Ich redete sie nur noch spaßeshalber mit Sie an, in gespielter Unterwürfigkeit.)

»Quatsch«, sagte sie unwirsch, »das ist nur Schein, und an dem Schein wurde hart gearbeitet. Der Schein von Echtheit ist literarische Gestaltung.«

Und damit ich den Beweis für diese Behauptung erhielt, stimmte sie schließlich zu. Ich würde dann schon merken, daß ein Tonbandprotokoll noch nichts mit einem Dialog oder Monolog in einem literarischen Werk zu tun habe, sagte sie.

»Mach nur. Aber ich will das Mistding nicht sehen«, bedang sie sich aus, »denn dann werde ich mir meiner selbst so bewußt, und das bin ich ohnehin schon mehr, als gut für mich ist.«

In gewisser Hinsicht war mir die Idee aber zu spät gekommen (außerdem erhielt sie im nachhinein recht, denn es funktionierte nicht so, wie ich es mir gewünscht hätte). Es war nämlich der Abend vor der Unterbreitung meines Vorschlags, unsere Gespräche aufzunehmen, gewesen, der das starke Verlangen in mir geweckt hatte, jedes Wort festhalten und aufbewahren zu wollen.

»Heute abend werde ich dir mal erzählen, was ein gutes Buch ist«, hatte sie zur Einleitung gesagt. Danach schwieg sie eine Weile. »Ich fang noch mal neu an. Heute abend werde ich versuchen, dir zu erzählen, was meiner Meinung nach ein guter Roman oder eine gute Novelle ist.« Wieder verstummte sie und sah mich dann mit einemmal ganz perplex an. »Ich hätte nicht gedacht, daß es so schwierig sein würde«, sagte sie entschuldigend, »denn im Grunde weiß ich das alles ganz genau, aber jetzt kommt es mir so vor, als widersetze sich dieses Wissen den Worten. Ein gutes Buch wird durch etwas zusammengehalten, was nicht drinsteht, und dieses Etwas, das nicht drinsteht, das ist das Geheimnis des Autors. Vielleicht sollte ich das ja nicht verraten, vielleicht ist es das. Es ist wie bei einem raffiniert zubereiteten Gericht. Was das Ganze so köstlich macht, ist eine Kombination aus Zutaten, die man nicht mehr sieht. Und ein Koch wird selten oder nie erzählen, was er alles hineingetan hat, um das Gericht so schmecken zu lassen, auch wenn er wahnsinnig stolz darauf ist und es vielleicht gern hätte, wenn jemand herausschmeckte, daß in der so fein ausgewogenen Sauce eine dreifach gezogene Rinderbouillon verarbeitet ist. Und genauso widerstrebend sprechen Schriftsteller über ihr Geheimnis. Eigentlich sind sie die letzten, die etwas Sinnfälliges über ihr Buch sagen können. Sie können das nicht – nicht, weil sie es womöglich nicht wüßten, denn sie wissen es ganz im Gegenteil besser als jeder andere –, nein, es kommt ihnen nicht über die Lippen, weil es ihnen widerstrebt, weil es ein Geheimnis ist und weil es da wie bei jedem Geheimnis eine Schamgrenze gibt, die verbietet, darüber zu sprechen. Das ist schon merkwürdig, denn jeder Exeget darf das Geheimnis entdecken, darf aufdecken, welcher Zusammenhang – vorausgesetzt, es ist ein gutes Buch – zwischen den einzelnen Abschnitten des Buches besteht, weil der Autor ihn hergestellt hat. Aber der Autor geniert sich, wenn er es selber sagen soll. Vielleicht kommt es daher, daß man die eigenen Erzeugnisse nicht anpreisen möchte. Das sollen andere tun. Und dieser geheime Leitfaden, den der Schriftsteller bei der Herstellung eines Buches benutzt, ist wohl einer der ausschlaggebendsten Faktoren dafür, ob ein Buch gut wird oder nicht.«

Ich sah, daß sie sich die größte Mühe gab, die dem Thema eigene Sprödigkeit wegzureden, sich darüber hinwegzusetzen. Um ihr dabei behilflich zu sein, fragte ich sie, ob es sich dabei um so etwas wie den berühmten Spatz von W. F. Hermans handele, der in einem Roman nicht vom Dach fallen könne, ohne daß es eine tiefere Bedeutung habe.

»Weißt du, daß diese Aussage gar nicht von Hermans ist?« sagte sie mit erleichtertem Grinsen. »Matthäus 10, die Versnummer weiß ich nicht mehr, schlag mal nach.«

Die Bibel war eines der Bücher, die sie in ihrem Regal im Wohnbereich stehen hatte, einem Regal, das an die zweitausend Bücher faßte und in dem sie auf so gut wie jedem Brett gerahmte Fotos von Familienangehörigen, Freunden und einigen Autoren stehen hatte. Ich nahm die Bibel heraus und trug sie behutsam an meinen Sitzplatz zurück. Das Buch barst schier vor Karteikärtchen, die am Rand herausstaken, und ich fürchtete, daß eines davon herausfallen könnte. Bei Matthäus 10 steckte

auch so ein Kärtchen, das ich nun als Andachts-
bild identifizierte. Ich hatte die betreffende Zeile
schnell gefunden.

»Lies vor«, sagte Lotte, »und fang etwas ober-
halb davon an, es ist nämlich ein schöner Ab-
schnitt.«

»Denn nichts ist verhüllt, was nicht enthüllt
wird, und nichts ist verborgen, was nicht bekannt
wird. Was ich euch im Dunkeln sage, davon redet
am hellen Tag, und was man euch ins Ohr flüstert,
das verkündet von den Dächern. Fürchtet euch
nicht vor denen, die den Leib töten, die Seele aber
nicht töten können, sondern fürchtet euch vor
dem, der Seele und Leib ins Verderben der Hölle
stürzen kann. Verkauft man nicht zwei Spatzen
für ein paar Pfennig? Und doch fällt keiner von
ihnen zur Erde ohne den Willen eures Vaters.«

»Hat schon Gefühl für Humor, der Hermans«,
sagte sie. »Er hat sich hübsch mal eben Gottessta-
tus angemaßt, als er die Bibel zitierte, und hoffte
natürlich von ganzem Herzen, daß jeder das Zitat
erkennen würde.«

Ehe sie fortfuhr, schenkte sie unsere Gläser
wieder voll und zündete sich die x-te Zigarette an.

»Ja, es hat schon etwas mit diesem vermaledei-
ten Spatz zu tun«, setzte sie zögernd wieder an,
»obwohl man auch mal jemanden eine Tür öffnen

lassen muß, ohne daß es gleich eine Metapher ist und mehr zu bedeuten hat, als daß man diesen Jemand schlicht und ergreifend in das elende Zimmer hereinkommen läßt. Aber zu viele solcher Sätze darf man nicht drinhaben, denn das entmutigt oder, schlimmer noch, das langweilt. Das Glück des Schreibens liegt in dem Wissen, daß man sich bei jedem Satz von etwas leiten läßt, von etwas, das man zwar nicht im Text festhält, das aber wohl Motiv für die Wahl der Worte ist, die man zu Papier bringt. Jedes Buch enthält sozusagen ein ungeschriebenes Buch, und der Autor muß sein ungeschriebenes Buch durch und durch kennen, weil es ihm die Grenzen des Buches vorgibt, das er schreibt.« Sie sah mich forschend an und fragte mich mit leichter Verzweiflung in der Stimme, ob ich verstünde, was sie meine.

»Wenn ich so rede, find ich mich zum Davonlaufen«, sagte sie, ohne eine Antwort abzuwarten. »Ich geh jetzt lieber zu Bett und versuch es ein andermal, denn es ist wichtig für unser Buch. Destillier morgen übrigens bitte diese Passage von Matthäus, die bringt mir was.«

Ich wollte noch etwas Beruhigendes sagen, ehe ich sie verließ, etwas, womit ich ihr vermitteln konnte, daß mich beeindruckt hatte, was sie gesagt hatte, und ich durchaus begriffen hatte, worum es ging, auch wenn sie glaubte, das nicht herübergebracht zu haben.

Schon an der Tür stehend, fragte ich daher: »Lotte, könnte es sein, daß das ungeschriebene Buch eigentlich immer dasselbe ist?«

Ich kann nicht verhehlen, daß ich stolzgeschwellt war, als sie mich verblüfft ansah, aus ihrem Sessel aufsprang und mich umarmte.

»Max, du bist ein Genie«, rief sie ausgelassen.

Es war kurz bevor sie mit ihrem letzten Kapitel von *Ganz der Ihre* fertig war, als sie mich einmal um die Mittagszeit anrief und bat, zu ihr hinunterzukommen. Sie klang wie in Panik, und ich beeilte mich, so schnell wie möglich bei ihr zu sein. Ich traf sie mit einem Ausdruck von Angst und Bestürzung im Gesicht an. Sie saß in unnatürlicher, verkrampfter Haltung auf ihrem Schreibtischstuhl.

»Es fängt an, glaub ich«, sagte sie mit nervösem Auflachen. »Es fühlt sich an, als wollten mir die Beine abfallen. Ich wage jedenfalls nicht, mich hinzustellen, denn ich trau diesen Beinen nicht für fünf Pfennig.«

»Hast du denn schon aufzustehen versucht?« fragte ich.

»Nein«, antwortete sie, mich ansehend, »das trau ich mich ja gerade nicht. Es ist, als hätte ich

Pudding in den Beinen und sie könnten mich nicht mehr tragen.«

»Dann sollten wir mal prüfen, ob dein Mißtrauen berechtigt ist«, sagte ich so unbeschwert wie möglich. In Wirklichkeit ging es mir sehr nahe, sie so zu sehen, weil sie nie zuvor Angst gezeigt hatte, und mir nun klar wurde, daß sie ihre Furcht vor dem, was ihr noch bevorstand, immer verborgen hatte.

»Du bist noch wie ein junges Fohlen«, sagte ich, als sie wieder auf den Beinen stand.

»War da nun wirklich was, oder war es nur Einbildung?« fragte sie mit Tränen in den Augen, und dann fluchte sie und sagte, daß sie nicht auch noch zur gottverdammten Hypochonderin werden wolle.

»Vielleicht ist das schon Ante-mortem-Kummer«, mutmaßte sie zögernd, »den hab ich immer, wenn ich mich von einem Buch verabschieden muß.«

Von meiner Etage aus habe ich dann ihren behandelnden Arzt angerufen und ihm den Vorfall geschildert.

»Es kann nicht schaden, wenn Sie diese Woche mal mit Lotte vorbeikommen, damit wir ihr ein Paar Krücken anmessen können«, sagte er mit dieser typischen Gemütsruhe des Arztes, die ich von meinem Vater her so gut kannte und kaum ertragen konnte.

Das letzte, was sie wolle, sei, als halber Krüppel zur Präsentation von *Ganz der Ihre* zu erscheinen, hatte sie gesagt, denn sie wolle nicht, daß die Rezeption des Buches durch etwas so Peripheres wie ihre Krankheit beeinflußt würde, daß Kritiker über den Abschluß eines Œuvres zu spekulieren begännen und so weiter und sich jedes Interview zu einem medizinischen Vortrag entwickeln und auf die Frage hinauslaufen würde, wie sich das denn nun anfühle, mit dem Tod vor Augen.

Seit jenem ersten Mal war es nicht mehr vorgekommen, daß sie ihren Beinen mißtraute und Angst hatte zu stürzen. Unterdessen hatte sie allerdings eine größere Zahl von Freunden darüber eingeweiht, was ihr bevorstand, so daß ich mich am Abend der festlichen Präsentation durch unser gemeinsames Wissen und unsere ein wenig melancholische Freude über das Erscheinen von Lottes Buch stillschweigend mit ihnen verbunden fühlte. Sie lief energiegeladen und aufgedreht von einem Gast zum anderen und hatte diesen Blick in den Augen, den ich inzwischen so gut kennengelernt hatte. Es war der Blick einer verliebten Frau, der Blick von Zufriedenheit und Glück, der ihr immer dann in die Augen trat, wenn sie sich von den Menschen umgeben wußte, die sie liebte und die sie liebten, Menschen, von denen sie immer sagte, daß sie froh sei, mit ihnen gleichzeitig auf der Welt zu sein. Lange bevor ich jeden einzelnen ihrer Freunde persönlich kennenlernte, in ihrem Haus oder bei den Festen, die wir besuchten, hatte sie mir ausführlich von allen erzählt, sie mir geschildert, als wären es Figuren in einem Buch. Mit theatralischer Gestik (der sie selbst sich übrigens nicht bewußt zu sein schien) hatte sie nachgeahmt, wie sie gingen oder wie sie beim Sprechen die Hände bewegten, sie hatte ihren Tonfall imitiert und die für sie typischen Gemütsäußerungen wiederholt, und all das tat sie mit ansteckendem Vergnügen und, ohne dabei ihre Kritikfähigkeit zu verlieren, mit einer überwältigenden Sympathie für denjenigen, den sie gerade wiedergab. Für jemanden wie mich, der es gewohnt ist, von anderen nur in negativen Beschreibungen zu hören, war es wundervoll, einmal das Gegenteil zu erleben. Durch die Beschreibungen ihrer Freunde wurde ich mir einer schmerzlichen Sehnsucht gewahr, ich möge selbst zu mehr Liebe und Freundschaft imstande sein.

»Weißt du, was auf der Welt am meisten zu Herzen geht?« hatte sie mich einmal gefragt,

ohne eine Antwort auf ihre Frage zu erwarten.
»Güte.«

Ganz der Ihre wurde von der Presse (wie es so
schön heißt) gemischt aufgenommen. Weil sie
keine einzige Zeitung abonniert hatte, ging ich in
den Wochen nach Erscheinen des Romans jeden
Morgen zu dem kleinen Tabakladen um die Ecke
und besorgte, außer Zigaretten für sie, die Zeitungen und Zeitschriften, in denen unserer Vermutung nach eine Rezension erschienen sein konnte.
Zum erstenmal verbrachte ich nun auch die Vormittage mit ihr zusammen und entdeckte dadurch
erst jetzt, wie sehr sie den Tagesbeginn dazu benötigte, sich für den Rest des Tages zu wappnen.
  »So früh am Tag bin ich noch nicht für Menschen bereit«, sagte sie bei einem der ersten Male,
da ich sie morgens traf und sie sich für ihre Schweig-
samkeit und Zugeknöpftheit entschuldigen wollte.
»Siehe unter *Familie*«, murmelte sie, während sie
die Zeitungen von mir entgegennahm, »ich bin ein
Kind von Einsiedlern und Clowns. Morgens bin
ich Einsiedlerin.« Aber als ich mich daraufhin an-
schickte, mich in meine Etage zurückzuziehen
und sie allein zu lassen, hielt sie mich zurück und
bot mir Kaffee und Frühstück an. Sie müsse sich
ohnehin daran gewöhnen, sagte sie, und es sei ihr

angenehm, mit mir über die Rezensionen sprechen zu können. Nichts sei nämlich so traurig, wie einsam und allein lesen zu müssen, wie es dem eigenen Buch da draußen ergehe.

»Das ist in etwa so, als wär man frisch verwitwet und müßte in dieser furchtbaren Einsamkeit zum erstenmal allein das Zeugnis seines Kindes lesen, ohne jemanden zu haben, zu dem man sagen könnte, daß dieses ›ungenügend‹ im Rechnen natürlich ein Jammer sei, aber daß der kleine Schlingel dafür in Niederländisch wieder ein ›sehr gut‹ eingeheimst habe und diese Sprachbegabung ja wohl von irgendwem geerbt haben müsse.«

Lotte Inden hat mich oft verblüfft, und das tat sie auch jetzt wieder. Ihr gegenüber an dem großen Holztisch in der Küche sitzend, las ich mit wachsender Entrüstung einige der Rezensionen, und jede negative Bemerkung über den Roman traf mich, als hätte ich das Buch geschrieben. Ich bin in meinen Reaktionen meist nicht besonders spontan oder gar überschwenglich, aber wenn ich so einen Artikel in einer Zeitung oder Zeitschrift las, schäumte ich manchmal vor Wut, so daß ich nicht mehr an mich halten konnte und, noch bevor ich die letzten Zeilen gelesen hatte, bemerken mußte, daß es ein Scheißartikel sei und Herr oder

Frau Sowieso aber auch nicht die Bohne begriffen habe.

»Lies vor«, sagte Lotte dann seelenruhig, und nicht selten entlockte ihr eine Passage, die mich in Wut und Empörung versetzte, ein schallendes Lachen.

Und wenn sie ausgelacht hatte, sagte sie: »Interessant, das ist ein schöner Denkanstoß.«

Nie hatte ich Grund, Bemerkungen oder Verhaltensweisen von Lotte hinsichtlich ihrer Aufrichtigkeit in Zweifel zu ziehen. Über harte Schläge in ihrem Leben hatte sie mal gesagt, daß sie nichts Gutes hätten, daß ein Unglück ein Unglück sei, ein regelrechtes Unglück, Punkt. Sie habe einen Charakter, der sich sofort anpasse, der sich wie eine Schlange um dieses Unglück winde und sich seiner Form anpasse, und dann heiße es, sich an diese neue Form, an die veränderten Windungen zu gewöhnen, und diese Gewöhnung brauche ihre Zeit.

»Es gibt solche ekelhaft positiven Menschen«, hatte sie gesagt, »solche Typen vom Schlag Etty Hillesums, die du hinter Stacheldraht sperren kannst, die du schlagen kannst, demütigen, durch den Dreck ziehen und verhungern lassen, und sie krepieren mit dem nach wie vor hehren Glauben an das Gute im Menschen und die Glückseligkeit des eigenen Schicksals, aber so eine bin ich nicht. Ich denke nicht daran, mein Unglück zu segnen. Ich betrauere es, jeden Tag. Und meine neuen Formen beäuge ich mit großem Argwohn. Ich bin weder besonders froh noch besonders unglücklich darüber, ich muß mich daran gewöhnen, das ist alles. Ich muß mich daran gewöhnen, daß ich noch mehr mit meiner Zeit geizen muß und mir deswegen zum Beispiel keine Zeit mehr für Bekannte nehme. Zu jedem normalen Leben gehören Bekannte, zu meinem nicht mehr. Woran ich mich auch gewöhnen muß, ist, daß ich keine Zeit mehr habe zu lügen. Jeder Mensch lügt alle acht Minuten, das stand mal in der Zeitung, wirklich, das hat eine Studie an einer amerikanischen Universität ergeben, aber wem das Verhängnis droht, der tut das nicht mehr, der hat nicht mehr so viel Zukunft, als daß er sie durch Lügen sichern müßte. Kurz und gut, man wird dadurch kein netterer oder besserer Mensch, ein schlechterer zwar auch nicht, das nicht, aber ein etwas eckigerer vielleicht. Menschen lügen, betrügen, schlagen sich mit aufgesetzter Fröhlichkeit, gespielter Nettigkeit und heuchlerischer Höflichkeit durch dieses Leben, und das gehört sich auch so, das ist menschlich. Es ist keineswegs angenehm, wenn man sich aus diesem ganzen Grimassentheater entlassen erachtet.

Ich würde am liebsten mitlügen und mitbetrügen, aber die Lügen und der Betrug haben für mich ihren Sinn verloren, leider.«

An diese Bemerkungen wurde ich durch ihre Reaktion auf die Rezeption ihres Buches erinnert, und ich fragte mich, ob sie wohl aufgrund der neuen Windungen in ihrem Wesen so stoisch war. Vielleicht wünschte ich mir auch eine größere Nähe Lottes, daß sie meine Entrüstung teilte, daß sie die gleichen Empfindungen gegenüber einer Außenwelt hegte, die weniger über das Buch wußte als wir beide, oder vielleicht wollte ich auch schon mal das »wir« kosten, das nun, da wir zusammen den großen Roman in Angriff nehmen würden, in Aussicht stand, jedenfalls löste ihre Erheiterung bei mir eher Wut als Bewunderung aus, und so platzte ich eines Morgens, ohne daß ich mir noch bewußt gewesen wäre, wie ärgerlich ich auf sie war, erzürnt damit heraus, daß ich einfach nicht glaubte, ihr mache so eine bissige Bemerkung von einem Kritiker nichts aus, und da könne sie jemanden wie Etty Hillesum noch so heruntermachen, diese Entsagung, die ihr doch angeblich so zuwider sei, lege sie doch jetzt selbst mehr als deutlich an den Tag, und ich hätte den Eindruck, daß das auf ihre Krankheit zurückzuführen sei, daß es ihr eigentlich schon schnuppe sei, was andere von ihr und ihren Büchern hielten.

Sie sah mich anfangs verdutzt und dann mit großer Teilnahme an.

»Mensch, Max«, sagte sie mit breitem Lächeln und so etwas wie Bewunderung in der Stimme, »ich wußte gar nicht, daß du derartig wütend werden kannst.«

Aber dann, blitzschnell und ehe ich es so recht mitbekam, veränderte sich ihr Gesichtsausdruck, und das überlegene Lächeln wich einem Kummer, von dem zwar schon tiefe Furchen in ihrem Gesicht zeugten, den ich aber noch nie sich darin hatte eingraben sehen. Ihr Kummer und dessen Linien deckten sich mit einem Mal, und ich empfand tiefes Bedauern über das, was ich zu ihr gesagt hatte. Sie sah es, schüttelte den Kopf und machte mit beiden Händen eine abwehrende Gebärde, die mich beschwichtigen und mir bedeuten sollte, daß sie ein wenig Zeit brauche, um sich wieder zu berappeln.

»Es tut mir leid«, sagte ich, als sie sich wieder im Griff zu haben schien.

»Das braucht es nicht«, sagte sie. »Das, was du gesagt hast, beziehungsweise was du nicht gesagt hast, geht mir nahe. Es muß schwer sein, mit mir zurechtzukommen, vor allem für dich. Du sagst damit doch auch, daß es mir egal sei, was *du* von mir hältst, aber das ist mir ganz und gar nicht egal. Davon habe ich mich nicht freimachen können. Es bewegt mich mehr, als ich dir sagen kann, daß es noch jemanden gibt, der, wie soll ich sagen, sich nach meiner Liebe sehnt oder so?«

Um ihre halbe Frage zu beantworten, machte ich Anstalten, mich zu erheben und sie zu umarmen, aber sie bedeutete mir, daß ich sitzen bleiben solle.

»Das kann ich jetzt nicht ab, Max«, sagte sie leise, »die Einsiedlerin ist unberührbar.«

Vor mir auf dem Bildschirm standen die ersten Sätze von Samuel Beckett, die sie 1983 aus *Molloy* destilliert hatte, doch was sie bedeuteten, drang kaum zu mir durch. Ich sah immer nur Lottes Gesicht vor mir, wie der Kummer darin so unversehens zum Ausbruch kommen konnte, und ich war unruhig, weil ich mich danach sehnte, bei ihr zu sein und ihr etwas zu bedeuten.

»Ich lechze nach Beckett«, hatte sie gesagt, ehe ich sie an diesem Morgen in der Küche allein gelassen hatte, »niemand kann mich so sehr über die Misere lachen lassen wie er.«

Über Beckett hatte sie gesagt, daß sie viel von ihm gelernt habe, wenn sie auch nur schwer beschreiben könne, was es denn nun genau gewesen sei.

»Das ist was Eigenartiges bei einer bestimmten Art von Büchern«, sagte sie, soweit ich mich entsinne. »Ich fange an sie zu lesen, und sie kosten mich Mühe, und schon beim Lesen weiß ich, daß ich das nur einmal im Leben machen werde, daß ich dieses Buch, das ich mir Satz für Satz erobern muß und das mich mit großem Glück erfüllt, nie wieder von Anfang bis Ende lesen werde. Musils *Mann ohne Eigenschaften* ist so ein Buch, und es geht mir auch mit nahezu der gesamten Prosa von Beckett so. Das sind Bücher, deren Schönheit für mich wahrscheinlich nicht im Ganzen liegt, sondern in einzelnen Sätzen. Ich möchte sie nie mehr missen, sie müssen um mich bleiben, auch wenn ich praktisch alle Sätze herausgeholt habe, die für mich von Bedeutung waren, als ich sie gelesen habe, und ich das Buch eigentlich nicht mehr brauche, um sie noch einmal lesen zu können und jedesmal wieder beeindruckt zu sein von ihrem Humor, ihrer Schärfe, ihrem Ton und dem Verstand, dem sie entsprungen sind. Ich liebe jemanden, der schreiben kann: ›Ich bedaure, daß der letzte Satz nicht besser gelungen ist. Wer weiß, vielleicht hätte er es verdient, ganz eindeutig zu sein‹, oder der über sich selbst seufzt, er lasse doch noch sehr zu wünschen übrig, und über die Liebe, man liebe so oft wie nötig, um glücklich zu sein.«

Da es die einzige Möglichkeit war, wie ich zu ihrem Trost beitragen konnte, suchte ich nicht nur das von ihr Gewünschte aus *Molloy* heraus, sondern alles, was ich von Beckett bei ihr fand, gab es in den Computer ein und druckte es aus. Mit einer tadellosen Beckett-Mappe betrat ich nachmittags ihr Wohnzimmer. Sie hatte ein Interview und eine Fotosession hinter sich und wollte in der Stadt mit mir essen gehen. Sie begrüßte mich überschwenglich und machte einen sehr munteren Eindruck. Ich ertappte mich bei einem Gefühl der Enttäuschung, daß nichts mehr von der zarten Gemütsverfassung vom Vormittag vorhanden war und es sogar danach aussah, als komme sie gut ohne den Trost von Becketts Sätzen aus.

»Es gibt gute und schlechte Fotografen, Max«, legte sie quirlig los, »und ich kenne zum Glück mehr gute als schlechte. Über die Guten läßt sich vieles sagen und über die Schlechten wenig. Ein schlechter Fotograf ist ein kleptomaner Fachoberschulabsolvent, der sich mit einem Bild von dir aus dem Haus stiehlt und dann seiner Freundin gegenüber abfällige Bemerkungen über deine Wohnzimmereinrichtung macht. Der, der vorhin hier war, war so ein schlechter.«

»Was macht dich dann so fröhlich?« fragte ich mit größerem Unmut in der Stimme, als es in meiner Absicht lag.

»Ich hab erst, als ich ihn hinausließ, begriffen, womit es zu tun hat, daß man sich manchmal bestohlen fühlt, wenn ein Fotograf da war, und warum man manchmal etwas von ihm oder von ihr zurückbekommen hat.«

»Na, dann herzlichen Glückwunsch zu dieser Erkenntnis«, muffelte ich, ohne es selbst zu wollen, weiter.

»Was ist denn mit dir los?«

»Ich weiß nicht«, sagte ich, »aber heute morgen warst du so nah, so verletzlich.«

»Würdest du dieses Wort in meinem Beisein bitte nie, aber auch nie wieder benutzen!« rief sie aus, ohne wirklich böse zu sein. »Ich hasse nichts so sehr, wie ›verletzlich‹ genannt zu werden. Das ist ein bescheuertes Wort, und es wird immer zum falschen Zeitpunkt und von den falschen Typen benutzt, und es enttäuscht mich schwer, daß du offenbar keine Sensoren dafür hast, wie widerlich unaufrichtig es ist. Als ob man, wenn man weint, verletzlicher wäre, als wenn man nicht weint. Abstrus!«

»Enttäusche ich dich wirklich?« fragte ich gespielt kläglich.

»Wie ich schon sagte.«

»Aber ich enttäusche so schrecklich ungern.«

Darüber mußte sie zum Glück lachen und sagte, daß natürlich niemand gerne enttäusche, daß das aber manchmal notwendig sei, um etwas über sich zu lernen.

»Ich enttäusche dich doch jetzt auch«, parierte sie halb lachend.

Sie war unterdessen in die Küche gegangen und kam mit zwei Gläsern Campari auf Eis zurück. Gerade als sie diese vor uns auf den Tisch stellte, klingelte es an der Haustür. Kurz darauf kam sie mit Axel Landauer wieder herein, einem der ältesten Freunde von ihr und ihrem verstorbenen Mann und wie Mr. Tallicz Autor von Kriminalromanen. Arm in Arm betraten sie das Wohnzimmer, und ich hörte, wie Lotte ihn einlud, uns doch ins Restaurant zu begleiten.

Sosehr ich mich auch darum bemühte und sosehr ich auch die Gesellschaft des lebensfrohen, sprachgewandten und charmanten Landauer genoß, die gute Laune wollte sich an diesem Abend nicht mehr so recht einstellen, und es blieb ein Gefühl quälender Unzufriedenheit zurück. Nachdem ich die beiden gegen Mitternacht am brennenden Kaminfeuer zurückgelassen und mich in meine Etage verzogen hatte, lag ich noch stundenlang wach und wartete auf das Zuschlagen von Lottes Wohnungstür. Das Geräusch blieb aus, und ich fühlte mich auf verwirrende Weise verlassen.

Im Restaurant war sie auf den Vormittag zurückgekommen. Sie sagte zu Axel, daß ich ihrer Reaktion auf die Kritiken mißtraute und mich weigerte zu glauben, daß ihr die weniger begeisterten Rezensionen oder die regelrechten Angriffe gegen ihre Person schnuppe seien.

»Na, da kann ich Max aber gut verstehen, mir fällt es ja auch schwer, das zu glauben«, hatte Axel mir beigepflichtet. »Aber so allmählich muß ich das wohl, denn ich habe dich in all den Jahren nie anders als davon unberührt oder sogar darüber amüsiert erlebt. Es ist mir schleierhaft, wie du das hinkriegst. Mich macht eine schlechte Rezension tagelang fix und fertig, ich schäme mich dann so, daß ich mich nicht mehr auf die Straße hinaustraue und die Augen niederschlage, wenn ich Verwandten, Geliebten, Bekannten oder Freunden begegne. Noch Monate danach meide ich Buchläden und andere öffentliche Orte, wo möglicherweise Leser der Zeitschriften und Zeitungen herumlaufen könnten. In meiner Phantasie füge ich dem betreffenden Kritiker schon hemmungslos sämtliche greulichen Mißhandlungen zu, die ich in dem verrissenen Buch minutiös beschrieben habe. Ich steche, ritze, zerstückle und martere, daß es eine Lust ist, und grinse genüßlich, während ich lauthals wieder und wieder die gerächten Sätze ausstoße, denn es versteht sich natürlich, daß ich jede schlechte Rezension auswendig kenne und mich auch noch Jahre danach an den Namen jedes Flegels erinnere, der es je gewagt hat, eine negative Kritik über mein Werk zu schreiben oder sonstwie zu äußern.«

Dann wandte er sich an mich und sagte, er müsse, so schwer es ihm auch falle, leider bestätigen, daß Lotte eine völlig andere Beziehung zur Außenwelt habe und er sie sogar schon daran habe erinnern müssen, wer sie wann und wie beschimpft habe.

»Gehen wir zusammen zu einem Empfang, und da seh ich sie doch verflixt noch mal in netter Unterhaltung mit so einem Heini, der noch vor kaum einer Woche in irgendeiner faden Zeitung über sie hergezogen ist. Ich frag sie also: ›Weißt du denn nicht, daß dieser Kotzbrocken diese miese Rezension über dich geschrieben hat, in der das und das stand?‹, und da weiß sie dann zwar, wovon ich spreche, hatte selbst aber schon ganz vergessen, was darin stand, und den Namen dieses Stümpers allemal.«

Lotte war anzusehen, wie sehr sie Landauers

Entrüstung genoß und daß sie gleichzeitig darüber nachdachte, was sie dazu sagen wollte.

»Das hat was mit Autonomie zu tun«, sagte sie, nachdem Axel Landauer noch einige leuchtende Beispiele für ihre Ungerührtheit zum besten gegeben hatte. »Ich laß mir auf zwei Gebieten von niemandem etwas vorschreiben: auf dem Gebiet, was gut und was schlecht ist in der Liebe, und auf dem Gebiet, was gut und was schlecht ist in meinem Werk. Das ist allein meine Sache.«

»Und die ganze Kritik an der eigenen Person, was ist damit?« fragte Landauer. »Letzthin hat man mich noch als narzißtischen, eitlen, aufgeblasenen Bourgeois bezeichnet, der, wenn er wieder mal ein Buch auf den Markt bringen wolle, lediglich die Berichte aus seiner gerichtsmedizinischen Praxis zu kopieren brauche und der insgeheim Selbstbeweihräucherung betreibe, indem er seine zwar ziemlich gedrungene, aber ach so vortreffliche Hauptfigur zu seinem Ebenbild mache.«

»Man darf eine Person nach ihrem Tun beurteilen, doch ich erachte nur die Menschen, die näheren Umgang mit mir haben, auch für befähigt, dieses Urteil zu fällen«, sagte Lotte mit der für sie üblichen Entschiedenheit. »Und ich verstehe wirklich nicht, daß du dir eine Bemerkung zu Herzen nimmst, von der du selbst weißt, daß es eine hanebüchene Unwahrheit ist und sie wahrscheinlich von einem untalentierten Dummkopf mit dem Verstand einer Muschel und dem angepaßten Sprachgebrauch eines Musterschülers stammt, der vielleicht etwas zu Papier bringen, aber nicht schreiben kann. Das Wort Narzißmus kann ich nicht mehr hören, das haben so ein paar Pseudopsychologen, die noch nie eine Zeile Freud gelesen, sich aber wohl allesamt das Buch von Christopher Lasch reingezogen haben und diesem Erzkonservativen nachplappern, wo immer es sich gerade anbietet, total überstrapaziert. Du bist kein aufgeblasener, eitler, narzißtischer Bourgeois, mein Lieber, das kann ich bezeugen, sondern du bist ein ängstlicher, unsicherer, verlegener Mann mit großem Talent, der sehr viel von der Seele von Verbrechern und unbequemen Frauen versteht. Du hast es gar nicht nötig, dich selbst zu beweihräuchern, denn zum Beweihräuchern sind andere da, ich zum Beispiel.«

Daraufhin hatte Axel sich über den Tisch gebeugt, ihr Gesicht zwischen seine Hände genommen und ihr einen hingebungsvollen Kuß auf die Stirn gedrückt.

»Sorg bitte gut für sie, Max«, hatte er zu mir gesagt, »denn was sollte ich anfangen, wenn ich diese scharfe Zunge nicht mehr hätte?«

Am frühen Morgen hörte ich die Tür von Lottes Apartment zuschlagen. Ich hatte mir für diesen Tag einen Besuch bei Margaretha Busset vorgenommen. Um meine schwermütige Stimmung zu vertreiben, las ich, was Lotte zu *Familie* geschrieben hatte.

»Ich bin ein Kind von Einsiedlern und Clowns.

Das ist natürlich überspitzt, aber manchmal muß man überspitzen, damit etwas begreiflich wird. Meiner Meinung nach hat auch Newton irgendwann bei sich gedacht, er müsse die Sache mal so richtig überspitzen, und da hat er sich dann vorzustellen versucht, ob ein Apfel hochfallen kann, und hat, als er merkte, wie undenkbar das war, begriffen, daß irgendwas in dieser Erde an den Dingen und den Menschen zieht, so daß immer nur alles runterfallen kann.

Ich bin ein Kind von Einsiedlern und Clowns.

Sowohl die Familie meines Vaters als auch die meiner Mutter wohnte auf einem Bauernhof am Rande eines Dorfes, und jede meiner Großmütter hatte zwölf Kinder zur Welt gebracht. Zwölf fand ich normal.

Mein Vater war einer von sieben Brüdern, und meine Mutter war eine von sieben Schwestern, und beide fielen dabei auf ihre Art aus der Reihe.

Inmitten der Einsiedler kam mein Vater mit einer Seele zur Welt, die sich zu den Menschen hingezogen fühlte, und inmitten der Clowns kam meine Mutter mit einer Seele zur Welt, die sich nach dem Rückzug in die Bücher sehnte.

In der ersten Hälfte dieses Jahrhunderts wurden Sehnsüchte noch vom Schicksal boykottiert. Es war das Schicksal meines Vaters, das mitfühlende Herz seiner Mutter geerbt zu haben, und es war das Schicksal meiner Mutter, die älteste von sieben Schwestern zu sein. Dadurch blieb mein Vater mit dem Herzen bei den Einsiedlern, und meine Mutter wurde von Schulbank und Büchern weggetrieben, um ihrer Mutter zur Hand zu gehen.

Das Aufseufzen der Eltern in der zweiten Hälfte unseres Jahrhunderts, dieses Erstaunen, daß sich alles so schnell verändert hat, das ist nichts anderes als die Bestürzung darüber, wieviel mehr Raum Sehnsüchte heute haben und um wie vieles schwächer offenbar der einst so mächtige Griff des Schicksals geworden ist. Was für die Sehnsucht an Boden gewonnen wurde, wurde dem Schicksal an Boden abgetrotzt. Weder Herkunft noch Entfernungen verurteilten die Kinder unserer Eltern dazu, zu bleiben, wo sie waren, und weder Körper noch Geschlecht verurteilten sie zu einem vorherbestimmten Leben.

Mir war es oft peinlich, daß ich alles bekam, was sie sich gewünscht hatten und nicht bekamen. Und ich habe sie mit dieser bittersüßen Mischung aus Dankbarkeit und Mitleid betrachtet und gesehen, daß sie sich abrackerten, um ihren Kindern zuliebe die Macht des Schicksals einzudämmen, demzufolge sie selbst noch wohin gelangt waren, wo sie vielleicht gar nicht sein wollten.«

Unter den Text hatte sie noch etwas handschriftlich dazugekritzelt. Es kostete mich anfangs Mühe, es zu entziffern, aber nach einigem Rätselraten war ich mir sicher, daß es nichts anderes heißen konnte als »unfertig«. In etwas deutlicherer Handschrift hatte sie etwas aus einem Buch von Romano Guardini aus dem Jahre 1941 übernommen. Den Titel des Buches hatte sie nicht vermerkt, wohl aber, daß es darin um den Rosenkranz und die »Auslegung der Geheimnisse« ging. In Klammern hatte sie dazugesetzt, daß die Passage von Maria handele, und das Ganze mit einem Ausrufungszeichen versehen.

»Jesus ist so der Inhalt dieses Frauenlebens, wie das Kind der Lebensinhalt der Mutter ist, für die es Ein und Alles bedeutet. Zugleich ist er aber auch ihr Erlöser, und das kann kein Kind für seine Mutter werden.«

An jenem Mittag fragte Margaretha mich, ob ich in Lotte Inden verliebt sei.

Ich hatte ihr erzählt, daß ich, bevor ich zu ihr gekommen sei, mein Heil in Lottes Ausführungen zu *Familie* gesucht hätte, von denen ich bis dahin mit schöner Regelmäßigkeit immer nur die Anfangszeile gehört hätte, doch daß sie mir nicht gegeben hätten, was ich suchte, obwohl ich nicht einmal formulieren könne, auf welche Frage ich denn eine Antwort zu finden versuchte.

»Sie hat etwas an sich, wodurch sie unnahbar bleibt«, hatte ich gesagt.

»Wie nah möchtest du sie denn haben?« hatte Margaretha daraufhin ohne merkliche Veränderung ihres Gesichtsausdrucks gefragt.

Ich hatte erwidert, daß ich mir keinerlei Vorstellungen davon machte, daß das Verlangen zwar stark sei, ich aber keine Ahnung hätte, was ich mir von ihr ersehnte.

Und daran hatte sich Margarethas Frage angeschlossen, auf die mir so schnell keine Antwort einfiel. Das kam schlichtweg daher, daß ich mir selbst nie gestattet hatte, das Wort in meinem Kopf aufkommen zu lassen, und in gewissem Sinne fürchtete ich, es erst zu werden, wenn ich das Wort in den Mund nahm.

»Was hindert dich daran?« fragte Margaretha.

»Sie hindert mich daran«, sagte ich, und während ich es sagte, verspürte ich einen leisen, erträglichen Kummer darüber, wie wahr diese Worte waren.

Ich bin an jenem Abend dann noch zu Lotte gegangen. Als ich gegen elf Uhr vor unserer Haustür stand, sah ich im Erdgeschoß noch Licht brennen. Das Gespräch mit Margaretha hatte mich in der Weise erleichtert, wie es meist der Fall ist, wenn man ein Wort für etwas gefunden oder etwas ausgesprochen hat, was einem bis dahin noch nicht klar war oder wovon man nichts hatte wissen wollen. Einige Bemerkungen Margarethas hallten noch in meinem Kopf nach, Bemerkungen, die tröstlich gewesen waren.

»Sie hat etwas mit sich selbst, zu dem niemand anderes Zugang hat«, hatte sie gesagt und, daß das nicht an mir liege, sondern daß das wahrscheinlich schon ihr ganzes Leben lang so sei, daß sie das brauche, um so leben zu können, wie sie lebte, einsam und strikt in ihrer Absonderung und ungreifbar lebhaft in Gesellschaft. Ich wußte zwar, daß Margaretha Lottes Bücher gelesen hatte, aber irgend etwas in der Art, wie sie über Lotte sprach, veranlaßte mich zu einem gegebenen Moment, sie zu fragen, wieso es mir so vorkomme, als würde sie Lotte persönlich kennen.

»Kennen nicht«, hatte sie da gesagt, »erkennen.«

Mit wiedergewonnenem Zutrauen drückte ich dreimal kurz auf den Klingelknopf, für Lotte das Zeichen, daß ich es war. Mit meinem Wohnungsschlüssel öffnete ich die schwere Tür.

»*Are you decent?*« rief ich von der Diele aus.

»Das bin ich doch nie!« schrie sie aus dem Wohnzimmer zurück.

Von ihren Notizbüchern umringt saß sie mit gekreuzten Beinen vor dem Fernseher und machte Aufzeichnungen, die sie auch, als ich hereinkam, nicht unterbrach.

»Nimm dir was zu trinken, Max. Ich hab mir heute abend einen stinklangweiligen Naturfilm über die Balz von Paradiesvögeln angeguckt«, sagte sie weiterschreibend, »aber dabei sind mir sehr spritzige Gedanken gekommen.«

Wir haben dann noch eine Stunde zusammengesessen. Sie fragte mich, wie es bei Margaretha gewesen sei, und ich antwortete, daß es immer schön sei bei Margaretha und daß sie die einzige Frau sei, bei der ich mich nach Herzenslust über sie beklagen könne. Lotte wollte mir nicht so ganz abnehmen, daß das nur als Scherz gemeint war, und fragte mich mit unsicherem Lachen, ob ich wirklich dorthin ginge, um mich über sie zu beklagen.

»Aber natürlich«, entgegnete ich lakonisch, »was sollte ich wohl sonst bei ihr wollen? Das Leben mit Ihnen ist ja weiß Gott kein Zuckerschlecken. Nur unterstellt mir Margaretha, wenn ich mich einen Abend lang über Sie beklagt habe, am Ende jedesmal, daß ich dann wohl ganz verrückt nach Ihnen sein muß. Ich komme also keinen Schritt weiter.«

»Das hat man davon, wenn die beste Freundin Psychiaterin ist«, kommentierte sie bündig, aber ich sah, daß sie ein wenig errötete. Ihrer Stimme war eine Neugierde anzuhören gewesen, die mich freute und die ich mir gern noch bewahrt hätte. Ich fragte sie, welche Eingebungen sie denn bei dieser Balz der Paradiesvögel gehabt habe, und mit einer Begeisterung, als sei sie doch erleichtert, das Thema wechseln zu können, begann sie davon zu erzählen, was sie an diesem Abend gesehen hatte.

»Also, dieser Naturfilm handelte von Vögeln irgendwo in den Wäldern von Borneo oder so, irgendwo in der Ecke. So ein piekfeiner Engländer schleicht mit Fernglas durchs Unterholz, nicht unkomisch das Ganze, muß ich sagen, denn natürlich springt da ein Kamerateam mit herum, das ihn hin und wieder dabei filmt, wie er mucksmäuschenstill im Dickicht kauert, um die Vögel zu beobachten. Aber um das alles geht es jetzt nicht, sondern um den Unterschied zwischen dem bunten und dem grauen Vogel. Der Paradiesvogel ist mit dem farbenprächtigsten Federkleid ausgestattet, das man sich nur denken kann, grellgelb und rot und kobaltblau, mit Büschelchen hier und Schwänzchen dort, mit Häubchen und was weiß ich noch für Firlefanz. Und dann ist da der aschgraue Vogel, ein unansehnliches Tierchen, ohne den geringsten Schmuck, der noch am ehesten an einen stinknormalen Straßenspatz erinnert, und der heißt dann graues Laubenschleicherchen oder so ähnlich. Kurz und gut, es geht um die Verführung. Der Paradiesvogel begnügt sich damit zu prunken. Er braucht nur sein buntes Federkleid zu spreizen, seine grellgelbe oder knallrote Brust aufzuplustern und vorzustrecken, ein bißchen auf einem Ast hin und her zu wackeln, und damit hat sich's. Schwupp, kommt schon ein unscheinbares Paradiesvogelweibchen angeflogen, und alles ist geritzt. Mitsamt Akt eine Sache von fünf Minuten. Aber das graue Laubenschleicherchen! Sein ganzes Leben verwendet es darauf, ein geniales Bauwerk zu schaffen. Zweiglein für Zweiglein wird herbeigeschleppt, um etwas so Tolles und Schönes zu schaffen, daß es für ein Weibchen unwiderstehlich wird. Das Weibchen entscheidet sich für das Männchen, weil es etwas gut kann. Keine Mühe ist ihm zu groß, um ein architektonisches Meisterwerk zu schaffen, das an eine chinesische Pagode erinnert. Vor seiner Laube legt es anschließend einen bezaubernden Garten an, trägt bunte Blumen zusammen, die es zu einem allerliebsten Häuflein drapiert, in einer anderen Ecke seines Reviers stapelt es schwarzblaue Beeren auf und schleppt auch noch schwere Eicheln herbei, die ein Stück weiter weg deponiert werden. Als erstes brachte mich das auf den Gedanken, daß jedes Tanzen Balzen ist, auch das von Menschen. Und das zweite, was mir beim Fernsehen bewußt wurde, ist, daß das prunkvolle Paradieren dieses schönen Vogels keinerlei Rührung auslöst, das eifrige Werkeln des grauen Laubenschleicherchens, das Erschaffen eines kunstvollen Dings, aber wohl. Kunst ist ergreifende Balz, habe ich da aufgeschrieben, und dann noch etwas über die Tragik Marilyn Monroes.«

»Das kommt mir bekannt vor«, sagte ich, »wie eine Variante zu etwas, was ich dich schon öfter habe behaupten hören, nämlich daß Schreiben Verführen sei, daß du nicht stolz auf dein Schicksal sein kannst, weil es gratis ist.«

»Zweifellos«, entgegnete sie, »so viel Neues kann man ja auch nicht denken, mein Lieber. Genau wie das graue Laubenschleicherchen baue ich natürlich auch immer an dem weiter, was ich schon weiß und was mich beschäftigt. Original kann man nur in einer unerwarteten, eigenen, persönlichen Kombination aller bekannten Gegebenheiten sein.«

Ich hatte offenbar nicht begeistert genug reagiert. Ein gereizter Zug lag um ihren Mund, als sie die Hände ausbreitete und in die Höhe reckte.

»Aber ist es denn nicht toll, Max, wenn man anhand des Unterschieds zwischen der Balz eines bunten Paradiesvogels und der eines grauen Laubenschleicherchens wieder etwas an dem Bauwerk in seinem eigenen Kopf ergänzen kann?«

Ich mußte über diesen verzweifelten Ausruf lachen und sagte, sie müsse es mir wohl noch einmal erzählen, denn mir sei entgangen, um welchen neuen Zweig die Laube denn ergänzt worden sei.

»Rührung«, sagte sie mit deutlichem Widerwillen. »Mir ist bewußt geworden, daß natürliche Schönheit keine Rührung auslöst, etwas Geschaffenes aber wohl. Das ist alles. Und da habe ich plötzlich die tausende Male fotografierte Marilyn Monroe als bunten Paradiesvogel gesehen, der nur sein Federkleid zu spreizen braucht, um bewundert zu werden und zu verführen, ohne daß damit aber irgendwelche Gefühle oder ein Gott weiß was, ein menschlicher, liebevoller Blick auf ihr Wesen hervorgerufen würde. Das Nichtvorhandensein eines solchen Blicks hat sie meiner Meinung nach so unglücklich gemacht und letztlich umgebracht. Der Blick der Bewunderung für natürliche Schönheit ist ein kühler, kalter Blick. Etwas, wofür man nichts zu tun braucht, kann offenbar keine Neugierde wecken oder zu Herzen gehen, das wollte ich, glaube ich, sagen. Marilyn Monroe ging wie jeder, der ein Publikum sucht, hinaus, um geliebt zu werden, und was sie bekommen hat, war der entmenschlichte Blick der Bewunderung.«

»Du bist eine Kalvinistin, du findest, daß man sich alles im Leben verdienen muß.«

»Was bist du denn so kritisch heute abend, Petzler, hab ich dir etwas getan oder so? Ich bin keine Kalvinistin, ich bin mit Genuß Katholikin und demnach in einer Tradition erzogen, in der farbenfrohes Theater eng verwoben ist mit den größten Mysterien und dergleichen erhabenen Dingen. Wenn unser Priester sein knallrotes Tuch spreizt, dann nicht, um zu prunken und seiner Schönheit wegen bewundert zu werden, sondern dann geht es nach wie vor um die Menschwerdung Gottes, den Dienst des Wortes, die Transsubstantiation und all das andere Unbegreifliche und Schöne, ja. Aber ich schweife ab. Was hattest du noch mal gesagt?«

»Ich sagte, du findest, man müsse sich alles im Leben verdienen.«

»Ja«, sagte sie, »das finde ich auch.«

Zwei Regale der Bibliothek im Dachgeschoß waren mit Biographien angefüllt, und ich wußte, daß Lotte in ihrem Regal unten auch noch gut fünfzig davon stehen hatte, die sie, wie sie sagte, um sich haben wollte. Einige dieser Biographien hatte sie im Regal quergestellt, so daß die Konterfeis auf ihrem Deckel inmitten der Fotos von Freunden und Verwandten genauso vertraut in ihr Zimmer hineinblickten wie die Menschen, die sie liebte. So wachte der scharfe Blick Samuel Becketts über mein Tun und Lassen, wichen mir die Augen Marguerite Duras' stets aus, schien Friedrich Nietzsche nie zufrieden mit dem, was ich machte, versuchte Elvis Presley mich mit seinem schiefen Grinsen jeden Tag aufs neue dazu zu bewegen, ihn doch nett zu finden, und behielt Carry van Bruggen mit wissendem Blick das Geheimnis ihres Todes für sich. Da ich also wußte, daß Lotte gern über das Leben anderer las, erstaunte es mich um so mehr, daß sich in den biographischen Werken im Dachgeschoß kaum Notizen, Briefe oder von ihr verfaßte Texte befanden. Die Bemerkungen über Marilyn Monroe gaben nun den Anstoß, daß ich mich fragte, warum das so war, und noch drängender wurde diese Frage durch das Destillieren des Briefwechsels von Flaubert mit verschiedenen seiner Zeitgenossen. Vor mir auf dem Bildschirm standen vier Passagen aus dem Briefwechsel mit Louise Colet, die ich gerade abgetippt hatte, Passagen, die Lottes Anweisungen zufolge alle zusammen unter das Lemma *Originalität* gehörten.

»Was die Gestalten der Antike so schön macht, ist ihre Ursprünglichkeit. Alles ist da, aus sich selbst hervorgegangen. Wie viele Studien muß man jetzt hinter sich bringen, um sich von den Büchern frei zu machen! Und wie viele muß man lesen! Ozeane muß man trinken und wieder auspissen.« (8. Mai 1852)

»Meinen ganzen Ursprung finde ich in dem Buch, das ich auswendig wußte, bevor ich lesen konnte, *Don Quichotte*, und darüber liegt noch mehr, die stiebende Gischt der normannischen See, die englische Krankheit, der widerliche Nebel.« (19. Juni 1852)

»Niemand ist im eigentlichen Sinne des Wortes original. Das Talent vermittelt sich wie das Leben durch Infusion, und man muß in noblen Kreisen leben, *Sinn für den Umgang* mit den Meistern entwickeln.« (6. Juni 1853)

»Es [lesen] nützt mehr, als zu schreiben, denn
was wir schreiben, das schreiben wir mit dem, was
andere geschrieben haben, leider!« (13. März
1854)

Beim Abtippen waren mir die ganze Zeit ihre Bemerkungen über Originalität durch den Kopf gegangen, mit welcher Empörung sie die Abschaffung des Begriffs verurteilt hatte, weil so eine
radikale Abschaffung ihrer Meinung nach davon
zeuge, daß man unfähig sei, einem Begriff eine
größere Komplexität zuzubilligen. Sie war häufig
auf das Thema zurückgekommen, weil es sich um
einen jener zentralen Begriffe handelte, um die es
in dem großen Roman gehen sollte, ohne daß sie
darin ausdrücklich genannt werden mußten.

»Es genügt, wenn du und ich wissen, mit welchem Gerüst wir das Ganze zusammenhalten«,
hatte sie gesagt und auch, daß man nur zu Einsichten kommen könne, wenn man Zusammenhänge herstelle.

»Je mehr Informationen und Begriffe man miteinander in Zusammenhang bringen kann, desto
größer die Vereinfachung und desto klarer die
Einsicht«, hatte sie dazu gesagt und hinzugefügt,
daß dies ein Gesetz der Systemtheorie sei. »Aber
wir betreiben keine Systemtheorie, wir schreiben

ein Buch. Der Roman unterscheidet sich dadurch von einer wissenschaftlichen Untersuchung, daß er Einblick in ein persönliches Leben, in eine bestimmte Zeit, in die Welt verschafft. Trotzdem kommt auch so etwas wie Selbsterkenntnis nach einem dem wissenschaftlichen ähnlichen Prinzip zustande, nämlich durch Herstellung möglichst vieler Zusammenhänge zwischen den eigenen Erfahrungen und denen anderer sowie zu der Zeit, in der man lebt.«

An jenem Nachmittag ging ich in der beruhigenden Überzeugung, daß ich Lotte mit nichts so sehr zufriedenstellen konnte wie mit einer guten Frage, mit dem Vorhaben die Treppen hinunter, sie um eine Erklärung für die Leere, auf die ich in den Biographien stieß, zu bitten.

Und ich erinnere mich, wie wenig erfreut ich war, so herzlich sie mich auch empfing und begrüßte, innerhalb so kurzer Zeit erneut Axel Landauer bei ihr anzutreffen.

Als Einzelkind habe ich sozusagen das Reich für mich allein gehabt, und ich glaube, daß ich deswegen nicht so gut mit Situationen umgehen kann, in denen das Talent gefordert ist, die Aufmerksamkeit anderer auf sich zu ziehen. Margaretha hatte mich schon mal darauf hingewiesen, daß ich die

Flucht ergriffe, sobald ich den Eindruck bekäme, daß ich mich irgendwie beweisen müsse. So wollte ich denn, obwohl mich angesichts von Axel Landauers Anwesenheit ein unangenehmes Eifersuchtsgefühl beschlich und ich am liebsten auf dem Absatz kehrtgemacht und mich wieder in meine Etage verzogen hätte, diesem Gefühl einmal nicht nachgeben und ging statt dessen auf die Einladung, ihnen Gesellschaft zu leisten, ein. In der Küche schenkte ich mir ein Glas Campari ein und nahm dann in einem der Sessel vor dem Kaminfeuer Platz. Nach meinem Hereinkommen hatten Axel und Lotte ihre Unterhaltung wieder aufgenommen.

»Wir reden gerade über Serienmörder, Max«, weihte Axel mich ein, »und dabei vermissen wir die ganze Zeit den Sachverstand von Mr. Tallicz.«

Sowohl aus seinen Büchern als auch aus Lottes Erzählungen wußte ich, daß Mr. Tallicz ein Kenner der Psychologie des Serienmörders gewesen war. Zu seinen Lebzeiten war er einer der wenigen Europäer gewesen, der auch an Untersuchungen eines amerikanischen Instituts mitwirkte, das sich mit der Analyse dieser Verbrechensform befaßte. Das war zugleich einer der Gründe dafür gewesen, daß er und Lotte oftmals in die USA gereist waren, denn Mr. Tallicz erhielt regelmäßig Einladungen, auf Konferenzen über Verhaltenspsychologie vorzutragen, und hatte sich zudem darauf verlegt, historische, philosophische und soziologische Erklärungsansätze dafür zu liefern, warum Serienmord in Europa seltener vorkam als in Amerika.

»Am stärksten hat sich mir eingeprägt, daß Tobias sagte, Serienmörder zögen keine Lehren aus ihren Erfahrungen und es fehle ihnen an jeglichem Mitleid«, sagte Lotte.

»Gilt letzteres nicht für jeden Mörder?« fragte ich.

»O nein«, entgegnete Axel, »eine ganze Reihe von Morden sind zweifellos sogar aus Mitleid begangen worden.«

»Aus Selbstmitleid demnach«, warf Lotte schnippisch ein, »der gefährlichsten Empfindung, die es gibt.«

»Du bist zu streng«, erwiderte Axel bedächtig, »es kann sehr heilsam sein, sich dann und wann selbst zu bemitleiden. Es hat mich zu Beginn meines Erwachsenenlebens jahrelange Therapie gekostet, ehe ich endlich Zugang zu einem Moment des Mitleids für mich als Kind fand, ehe ich endlich einsah, daß es nicht meine Schuld war, daß ich der Sohn eines grausamen Vaters war und einer Mutter, die so tat, als wüßte sie nichts von diesen Grausamkeiten, die ihren Kopf in den Sand steckte und mich dadurch doppelt bestrafte, denn sie fügte mir so auch noch die Tyrannei der Verleugnung zu. Ein Kind denkt, daß es bekommt, was es verdient, und Selbstmitleid ist das Resultat der Einsicht, daß dieses Gesetz für Kinder nicht aufgeht. Kein Kind verdient es, mißhandelt zu werden.«

»Du hast vollkommen recht«, räumte Lotte ein, »ich weiß auch nicht, warum mir Selbstmitleid so zuwider ist.«

»*Amor fati*«, sagte ich. »Du bist eben jemand, der sein Schicksal annimmt, ob es nun ein gutes oder ein schlechtes ist.«

Lotte schwieg einen Moment und sah mich nachdenklich an.

»Das stimmt, mein Lieber«, sagte sie dann, mit einem Hauch von Dankbarkeit in der Stimme.

An Axel Landauers Reaktion erkannte ich erstmals, daß wir im Wettstreit miteinander lagen und daß er mich in diesem Moment beneidete.

»Aber du hast doch sicherlich Mitleid mit dir gehabt, als Tobias plötzlich starb?« fragte er Lotte.

»Nicht eine Sekunde«, antwortete sie im Brustton der Überzeugung, und ich sonnte mich in dem Gefühl, einen Sieg errungen zu haben.

Als es Zeit fürs Abendessen war, wurde, vor allem auf Lottes Wunsch, beschlossen, das öffentliche Leben zu meiden und uns, anstatt in ein Restaurant zu gehen, irgend etwas von einem Bestellservice, die es in der Stadt reichlich gab, bringen zu lassen.

»O zwanzigstes Jahrhundert, in dem das alles so einfach geht!« hatte sie ausgerufen.

Wir entschieden uns für indonesisches Essen, und ich übernahm vom Wohnzimmer aus die telefonische Bestellung, während Axel und Lotte mir abwechselnd die Namen von allerlei Gerichten zuriefen, die bei unserem Mahl auf keinen Fall fehlen durften. Das hatte zur Folge, daß ich eine Dreiviertelstunde später aus den Händen eines Jungen mit Motorradhelm fünf Plastiktragetaschen mit gut zwanzig lauwarmen Aluminiumbehältern voller duftender Speisen entgegennahm und auf dem Tisch nachher kaum genug Platz war, um all die vielen Schüsselchen und Schälchen darauf unterzubringen. Verblüffenderweise aber waren nach zwei Stunden Schlemmen alle Schälchen so gut wie leer, ein Wunder, das in erster Linie der grenzenlosen Eßlust von Axel Landauer zu verdanken war sowie dem Umstand, daß er, wie er selbst einräumte, einfach nicht die Finger vom Essen lassen konnte, solange noch irgend etwas auf dem Tisch stand.

»Schaff mir um Himmels willen diese Köstlichkeiten aus den Augen, Max«, flehte er schließlich, als nur noch ein kleiner Rest Nasi, ein Ei, ein Spießchen mit Ziegenfleisch und eine halbe Makrele übrig waren.

Während des Essens hatte er mich kurz über den Inhalt seines neuen Romans informiert, um mir zu verdeutlichen, weshalb ihm an einem größeren Einblick in die Psyche des Serienmörders gelegen war.

»Ich möchte nämlich just einen Mörder mit mitleidigem Herzen vorführen«, hatte er dazu gesagt, doch dafür wisse er zuwenig über die Psyche von Menschen ohne Mitleid. Das einzige, wovon er wirklich etwas verstehe, sei die DNA-Spurenanalyse, sagte er, und soweit er wisse, habe man noch kein Gen gefunden, in dem das Vorhandensein oder Nichtvorhandensein von Mitleid angelegt sei.

Im Laufe des Gesprächs bat Lotte mich mehrmals, mir die Titel einiger Bücher und Publikationen zu dem Thema, die ihr während der Unterhaltung einfielen, zu notieren, damit ich diese nachher aus der Bibliothek von Mr. Tallicz holen und sie Axel geben könne. Sie erzählte auch davon, daß einmal, als sie mit Mr. Tallicz eine Urlaubsreise durch Amerika gemacht hatte, gerade das ganze Land im Bann des soeben festgenommenen Serienmörders Jeffrey Dahmer gestanden hatte.

»Bei Tobias' Geschichten hat's mich ja schon immer gegruselt«, sagte sie, »aber richtig bange ist mir erst geworden, als ich diesen Jeffrey Dahmer in den CNN-Nachrichten sah. Man sieht sich Mörder und schlechte Menschen ja immer mit dem Wunsch an, die Bösartigkeit möge ihnen vom Gesicht abzulesen sein, da möge etwas in ihrer Physiognomie, in den Zügen um ihren Mund und vor allem etwas in ihren Augen sein, was dieses Maß an Schlechtigkeit verrät. Das hofft man. Das wünscht man sich, weil man das für nur gerecht vom Leben halten würde und weil es das angegriffene und leidgeprüfte Sicherheitsbedürfnis wiederherstellen soll. Statt dessen sehe ich, als wir da in irgendeinem Hotel irgendwo in der Nähe von San Francisco vor dem Bildschirm sitzen, plötzlich diesen blonden jungen Mann aus Milwaukee und mir bleibt fast das Herz stehen. Er ist in Handschellen, die Hände auf dem Rücken. Ein Polizist führt ihn herein, die Hand an seinem Ellenbogen. Jeffrey Dahmer trägt ein gestreiftes Hemd mit kurzen Ärmeln und hat so einen Dreitagebart. Und während eine dieser typisch amerikanischen Kommentatorinnenstimmen mit dieser immer so unnatürlichen Ungerührtheit von seinen greulichen Morden berichtet, fährt mir als erstes durch den Sinn, daß er mein Bruder sein könnte. Er hat diese engelhafte, durchscheinende Haut mancher blonden und rothaarigen Menschen, mit der auch unser Timmie gesegnet ist, er hat die Haltung und den Gang von meinem Bruder Michael und den warmen, ein wenig verlegenen Augenaufschlag von unserem Just. Da ist nichts, aber auch wirklich gar nichts in seinem Aussehen, was ihn auf den ersten Blick als Menschen entlarven würde, der siebzehn Jungen mitgelockt, ermordet, mißbraucht, zerstückelt, gekocht und halb verspeist hat. Man fand einen frisch abgehackten Kopf im untersten Fach seines Gefrierschranks, und in seinem Apartment lagen hier und da noch Herzen, Hände, Penisse und ein paar abgenagte Schädel herum. Und nichts davon war seinem Gesicht abzulesen. Tagelang habe ich jede Zeitung und jede Zeitschrift gekauft, in der man sich mit diesem gutaussehenden, schüchternen *serial killer* aus Milwaukee befaßte. Ich las die Artikel längst nicht mehr, sondern stierte nur mit leichter Panik auf die Fotos von dem Jungen. Ich versuchte mir immer wieder einzureden, daß ich es doch sehen könnte, daß sein Blick bei näherer Betrachtung erschreckend leer sei und der Zug um seinen Mund nicht von Verlegenheit zeuge, sondern von eiskalter Gleichgültigkeit.«

Sie erzählte, daß die Verhaftung von Jeffrey Dahmer einige Monate nach der Kinopremiere von *Silence of the Lambs* stattgefunden habe. Wir bekannten alle drei, daß uns der Film gefallen habe, und konnten uns auch gleich wieder Szenen vergegenwärtigen, die die hervorragende Rolle von Anthony Hopkins als Hannibal Lecter illustrierten. Mit meiner Nachahmung der Schlußszene des Films (wie Hannibal nach seinem Entkommen von einer öffentlichen Telefonzelle aus bei Clarice, Jodie Foster, anruft, aus dem Augenwinkel sein nächstes Opfer, für jeden Zuschauer ein alter Bekannter, vorbeigehen sieht und das Gespräch mit den Worten beendet: »*I have to go, Clarice. I'm having an old friend for dinner*«) versetzte ich Lotte in die überdrehte Stimmung, die ich mittlerweile so gut an ihr kannte. Nachdem sie sich die Lachtränen aus den Augen gewischt hatte, rief sie uns eine Szene ins Gedächtnis, die Axel und ich vom Wortlaut her nicht mehr in Erinnerung gehabt hatten, die für Lotte aber so entscheidend gewesen war, daß sie sie irgendwann aufgeschrieben hatte und nun nahezu wörtlich zitieren konnte.

»Hannibal sitzt da schon in diesem großen, luxuriösen Käfig, und es ist das letzte Mal, daß Clarice ihn persönlich sprechen kann. Sie muß also diesmal die Information aus ihm herausbekommen, mit deren Hilfe sie diesen anderen Serienmörder finden kann. Hannibal ist in Höchstform. Er ist aufreizend langsam. Er rückt keine Information heraus, ohne eine Information über ihr Leben dafür zurückzubekommen. Ohne den Namen des Mörders preiszugeben, zwingt er Clarice nachzudenken, logisch und klar zu sein, zu erfassen, was sie schon weiß. Alles, was sie über ihn wissen müsse, stehe schon in den Akten, sagt er zu ihr, da stehe alles drin. Denk nach, Clarice, was macht dieser Mann? Sie antwortet ihm, daß dieser Mann töte. Ach, sagt Hannibal darauf, das sei nur von sekundärer Bedeutung. Welches Bedürfnis befriedigt er, indem er tötet? Sie gibt nicht die richtige Antwort, also liefert Hannibal sie selbst und sagt: ›Er begehrt. Tatsächlich begehrt er, genau das zu sein, was Sie sind. Wir beginnen erst zu begehren, was wir täglich sehen.‹«

Lotte hatte uns strahlend angeschaut, als wollte sie sagen, daß es doch im Grunde das sei, worum sich alles drehe, und hatte unseren Blicken offenbar angesehen, daß uns entging, was denn daran nun so wichtig sei. Aber es sei diesem anderen Serienmörder doch um die Häute der Frauen gegangen, sagte Axel und versuchte so, noch etwas mehr aus Lotte herauszubekommen.

»Er hat doch ein gestörtes Verhältnis zu seinem eigenen Geschlecht, nicht? Und er zieht den Frauen die Haut ab, um sich daraus ein Kleid zu machen, um wie eine Frau aussehen zu können, oder?« fragte er.

»Denk nach, Axel, denk nach«, entgegnete Lotte mit Hannibal-Lecter-artiger Intonation und Langsamkeit. »Du mußt Zusammenhänge herstellen, breiter denken, interpretieren, abstrahieren. So eine Haut, die ist nur von sekundärer Bedeutung. Was sagt Hannibal? Er sagt, der Mörder begehrt, das zu sein, was der andere ist. Er will die Seele, den Status, das Verführerische und das vermeintliche Glück des anderen, und in diesem Falle ist der andere eine Frau. Keine bestimmte Frau, sondern *die* Frau. Er will etwas Ungreifbares und begeht den Irrtum, nach dem Greifbaren zu greifen.«

Lotte kicherte mit einem kurzen Hicksen.

»Was ist?« fragte ich. »Warum lachst du?«

»Weil ich wieder mal so richtig in meinem Element bin«, antwortete sie darauf lachend, »weil ich mich immer so schlau und geschickt auf den Rücken meiner Steckenpferde zu manövrieren verstehe.«

»Das graue Laubenschleicherchen«, sagte ich,

wohl wissend und daher boshaft genießend, daß Axel diese Bemerkung unmöglich unterbringen konnte.

»Ihr kennt doch sicher das Buch von Maslow, in dem er die Hierarchie der Bedürfnisse erörtert, ja?« fuhr Lotte, ohne meine Anspielung zu beachten, fort. »Er unterscheidet vier Stufen des Begehrens. Die unterste Stufe ist das Verlangen nach Nahrung, um den Hunger zu stillen. Wenn dieses Bedürfnis befriedigt ist, erhält das nächste Bedürfnis Raum, nämlich das nach der Geborgenheit des Hauses. Ist man einmal sicher unter Dach und Fach, dann sehnt man sich nach Liebe, und hat man die Liebe dieses einen mit allem, was dazugehört, dann richtet sich das Begehren auf der höchsten und komplexesten Stufe ein, nämlich der der Achtung, der Selbstachtung und der Anerkennung durch andere. Es ist das Verlangen nach öffentlichem Status. Einer von Tobias' amerikanischen Kollegen, Colin Wilson, hat ein paar berühmt gewordene Bücher über Serienmörder geschrieben, und in einem davon erklärt er das vermehrte Auftreten dieser Erscheinung seit den fünfziger Jahren unseres Jahrhunderts in Verbindung mit dieser höchsten Stufe der Bedürfnisbefriedigungshierarchie, mit dem Hunger nach Anerkennung. Tobias hat darauf aufbauend einen Vergleich zwischen dem Starsystem der Neuen Welt und der Theologie der Alten Welt gezogen und die Behauptung aufgestellt, daß Serienmord in den USA häufiger auftritt als in Europa, weil Mord in den USA zu Ruhm führt und weil der Mörder einen Platz unter den Stars erringen will, während wir in Europa, Gott sei Dank, immer noch eher versuchen würden, heilig zu werden als berühmt oder berüchtigt.«

Ich hatte ihr bei ihrer Darlegung andächtig zugehört und eine wachsende Unruhe anfänglich ignoriert, doch dann ging mir schlagartig auf, woher diese Unruhe rührte: Lotte schrieb Mr. Tallicz Ideen zu, die, da war ich mir so gut wie sicher, von ihr selbst stammten. Sie hatte sie nicht nur teilweise in *Ganz der Ihre* bearbeitet, sondern in etwa dem gleichen Wortlaut auch schon in ihrem Bericht über den Film *The Silence of the Lambs* festgehalten, und zwar in der Übersetzung des Buches, auf dem der Film basierte, *Das Schweigen der Lämmer* von Thomas Harris, die ich in ihrer Bibliothek gefunden hatte. Ich war durch einen Querverweis in einem ihrer schwarzen Ringbücher darauf gestoßen, als ich in ihrem Auftrag nach allem gesucht hatte, was dem Lemma *Geist und Körper* zugeordnet war. Im nachhinein bedaure ich, daß ich meine Vermutung an jenem Abend nicht für mich behielt, aber wahrscheinlich trieb mich dieser unterschwellige Wettstreit mit Axel Landauer, in dem ich mich wähnte, dazu und vielleicht wollte ich in dieser aufgeheizten Stimmung noch einmal einen Sieg davontragen. Sichtlich fasziniert von allem, was gesagt worden war, hatte Axel Lotte unterdessen die Frage gestellt, in welcher Publikation er diese Analyse von Tobias finden könne, und sie hatte ihm gesagt, daß sie ihn leider enttäuschen müsse, das sei der letzte Vortrag gewesen, den Mr. Tallicz gehalten habe, bei einem Kongreß in Virginia, und dieser Vortrag sei nie veröffentlicht worden.

»Dieser Gedanke mit dem Vergleich zwischen dem neuen Starkult und dem alten Heiligenkult«, sagte ich da, »stammt der nun eigentlich von Mr. Tallicz oder von dir?«

Daraufhin endete der Abend, nachdem ich nachmittags noch in der festen Überzeugung nach unten gegangen war, ich hätte ihr eine gute Frage zu stellen, nun damit, daß Lotte mir in selbst für ihre Verhältnisse ungewöhnlich harscher Manier zu verstehen gab, daß das eine dämliche Frage sei.

»Was willst du wissen? Ob an Ideen so etwas wie ein Namensschildchen hängt? So einen Vergleich zwischen Star und Heiligem haben bestimmt schon Hunderte anderer angestellt, der gehört weder mir noch Tobias, der hat keinen

Erstbesitzer oder so was, das ist ja schließlich kein
Auto oder Haus! Und wenn man so lange mit jemandem zusammenlebt wie ich mit Tobias, dann
befaßt man sich allmählich mit denselben Dingen,
dann hilft man einander beim Nachdenken, um
mit etwas voranzukommen. Und begreifen tut
man etwas, indem man eine so ungeheuer nahelie-
gende Beobachtung mit etwas in Zusammenhang
bringt, was vielleicht nicht so naheliegt, so etwas
wie dem Serienmord oder Gott weiß was.«

Das alles hatte sie mir in vergrätztem Ton zuge-
schnauzt, über den sie, als sie kurz zu Atem kommen mußte, selbst erschrocken zu sein schien.

»Entschuldige«, sagte sie müde. »Es ist schon
spät. Ich bin müde. Ich geh schlafen.«

Und dann ist sie, nachdem sie Axel und mir
noch einen Gutenachtkuß gegeben hat, ohne noch
etwas zu sagen, in ihr Schlafzimmer gegangen.

Der Arzt hatte gesagt, daß diese Krankheit bei jedem einen anderen Verlauf habe, daß aber die
Schmerzen bei der Mehrzahl der Patienten zuerst
in Hüften und Beinen einsetzen würden. Bei Lotte
war das nicht der Fall. Bei ihr fing es in den Schul-
tergelenken, in den Armen und in der Muskulatur
von Handgelenken und Händen an.

»Sie weiß verdammt gut, wie sie mich am besten beuteln kann«, sagte sie am Tag, als sie mich um Hilfe rief.

Es erstaunte mich nicht im geringsten, daß sie von ihrer Krankheit sprach, als handele es sich um eine Person, und da ich ja von ihrem ausgeprägten Animismus wußte, fragte ich sie, ob sie ihr auch einen Namen gegeben habe.

»Nein«, sagte sie, »in meinem Kopf ist es schlicht das Schicksal, mein Schicksal, und mein Schicksal ist weiblich, versteht sich.«

Die Schmerzen in den Händen habe sie schon seit ein paar Wochen, sagte sie, und als ich entrüstet fragte, warum sie mir das nicht eher gesagt habe, entgegnete sie, daß sie es gründlich hasse zu jammern und fürchte, daß sie noch mehr als genug über körperliche Beschwerden zu quengeln haben werde.

Sie arbeitete schon seit einiger Zeit an einem Essay, über den sie sich bis jetzt noch kaum mit mir ausgetauscht hatte.

»Solange ich das noch nicht so ganz klar habe, fällt es mir schwer, darüber zu sprechen«, hatte sie gesagt. »Ich weiß beispielsweise nicht mal, ob es für den großen Roman ist, obwohl es dort hineingehört, oder ob ich etwas anderes damit mache.«

Da sie nun meine Hilfe benötigte, um einen Text zu Papier zu bringen, den sie mir diktieren würde, mußten wir erstmals auf eine Weise zusammenarbeiten, von der sie immer gesagt hatte, sie sei sich nicht sicher, ob sie das könne.

»Ich bin es so sehr gewohnt, beim Schreiben zu denken, daß ich wirklich keine Ahnung habe, ob ich es auch beim Sprechen kann. Ich fürchte, daß Denken auch viel damit zu tun hat, Worte vor sich zu sehen, und wenn ich rede, sehe ich nun mal keine Worte.«

»Du unterschätzt dich«, habe ich sie damals beruhigt, »wenn du redest, kann ich dich manchmal denken sehen.«

»Wirklich?«

»Ja«, sagte ich, denn es stimmte tatsächlich.

Das sei jetzt schon das dritte Mal gewesen, daß ihr morgens eine Tasse aus den Händen gefallen sei, erzählte sie. Sie habe jedesmal gewartet, bis die Schwäche und die Schmerzen in Armen und Händen nachließen, habe dann die Scherben zusammengefegt und den verschütteten Kaffee aufgewischt. So habe sie auch einige Male vor dem Computerbildschirm gesessen und gewartet, bis die Kraft in ihren Oberkörper zurückkehrte, aber dieses machtlose Warten nerve sie mehr als sonstwas.

»Derweil rattert es in meinem Kopf in einem

fort weiter«, sagte sie, »und ich habe nicht die Kraft im Leib, die Handarbeit zu verrichten, damit aus dem Gedanken greifbare Sätze werden. Wenn ich nur lange genug warte, geht es ja wieder, aber dann bin ich vor lauter Ungeduld und Ärger so erschöpft, daß ich nicht mal mehr ein Drittel von dem herausbekomme, was meiner Auffassung nach drin war.«

»Was möchtest du, wie sollen wir es machen?« habe ich sie gefragt. »Möchtest du einen schweigenden Sekretär, der nur aufschreibt, was du sagst, oder möchtest du, daß ich mit dir über das rede, was du mir sagst?«

»Ich weiß nicht, Max«, antwortete sie mit vor Angespanntheit tief gefurchter Stirn, »ich weiß es verflixt noch mal wirklich nicht.«

Dann erkundigte sie sich, an was ich mich von meinen Gesprächen mit ihrem Arzt erinnerte, ob er noch etwas gesagt habe, was möglicherweise förderlich sein könnte, wenn es einmal soweit sei, viel frisches Gemüse und Obst oder so oder salzhaltige Seeluft.

»Ich erwäge nämlich, für ein Weilchen in die Bretagne zu fahren«, sagte sie zögernd, »für eine Woche oder zehn Tage, mal sehen, ob es mir da bessergeht.«

»Dann laß uns das doch machen«, stimmte ich

gleich ein, denn ich konnte es nicht übers Herz bringen, ihr zu sagen, daß es nicht bessergehen würde. »Sobald es einmal angefangen hat, gibt es kein Zurück mehr«, entsann ich mich aus einem Gespräch mit ihrem Arzt, »diese Krankheit kann nur voranschreiten, die kennt keine andere Richtung.«

Nachdem sie sich einmal dazu entschlossen hatte, begann sie sich auf die Reise zu freuen, auf die Abgeschiedenheit und vor allem auf die Luft und die Geräusche des Ozeans. Anhand ihrer Anweisungen packte ich drei Kartons Bücher ein, mit denen wir mindestens zwei Wochen auskommen würden. Sie wolle unvermindert weiterarbeiten können, hatte sie gesagt und daß die Vorbereitungen für das Buch keine Verzögerung duldeten. Die rund vierzig Titel umfassende Liste der mitzunehmenden Bücher, die sie mir am Tag vor unserer Abreise treffsicher und schnell diktierte, versetzte mich in Spannung, denn ich bekam da eine Sammlung vor Augen, deren gemeinsamer Nenner mir nicht ersichtlich war. Es war, als packte ich ein Geheimnis ein, das in zwei Wochen entschlüsselt sein würde. In Lottes Kopf waren alle diese Bücher durch eine Logik miteinander verbunden, die mir noch unbekannt war, die Lotte mir aber enthüllen würde, so daß ich begreifen würde, wie sie Carry van Bruggen mit Jane Bowles in Zusammenhang bringen und Andy Warhol brüderlich mit Truman Capote in einem Karton vereinen konnte, was Ludwig Wittgenstein bei Augustinus zu suchen hatte und wie Kafka zwischen ein paar Bände Freud geriet. Einer der Kartons war fast vollständig mit Wörterbüchern angefüllt, dem dreibändigen niederländischen *Van Dale,* niederländischen und fremdsprachigen etymologischen Wörterbüchern, dem *Webster's Collegiate Dictionary,* dem theologischen Wörterbuch von Dr. H. Brink O.P., einer alten Ausgabe des *Latijnsch Woordenboek* von Van Wageningen und Muller und einem Wörterbuch Griechisch-Niederländisch.

»Ich will nicht nur wissen, wo die Geschichten herkommen, ich will auch immer wissen, wo die Wörter herkommen«, hatte sie gesagt und daß nichts so schön sei, wie in diesen Büchern von Wort zu Wort getrieben zu werden, weil die Wörter manchmal nur noch in ihren Wurzeln eine familiäre Verflechtung verrieten.

Weil sich auf der Liste auch einige Biographien aus dem Regal in Lottes Wohnzimmer befanden, wurde ich an den Abend mit Axel Landauer erinnert und an die Frage, mit der ich an jenem Nachmittag hinuntergegangen war, welche sich nun aufgrund der Bitte, die Biographien von Lenny Bruce, Malcolm Lowry, Jerzy Kosinski und Jane Bowles einzupacken, erledigte. Ungewollt kehrte auch das Bild vom unangenehmen Ausgang jenes Abends zurück, für den ich Lotte nie um eine Erklärung gebeten hatte.

»Weißt du noch, dieser Abend mit Axel, an dem wir indonesisch gegessen haben?« fragte ich nun, während ich Jane Bowles, die sich mit einer Zigarette in der rechten Hand gegen den Rücken ihrer Biographie *A Little Original Sin* zu lehnen schien, in die stechenden Augen blickte. Lotte lag auf dem Sofa im vorderen Teil des Hauses, und ich konnte sie von dem hinteren Teil aus, wo die Bücherregale standen, nicht sehen.

»Ja«, rief sie zurück. »Wieso?«

Ich unterbrach die Einpackerei, ging zu ihr hinüber, schob mir einen Sessel dichter ans Sofa heran und fragte sie, warum sie an jenem Abend so böse geworden sei, als ich die Vermutung geäußert hatte, sie schriebe ihre eigenen Ideen Mr. Tallicz zu. Sie zögerte mit der Beantwortung meiner Frage, besann sich dann aber und sah mir direkt in die Augen.

»Ich hab mich über dich geärgert, Max«, sagte sie ungewöhnlich sanft. Und während sie das sagte, lichteten sich ihre Augen plötzlich und waren von der einen auf die andere Sekunde rot umrandet, ohne daß sie geweint oder sich die Augen gerieben hätte. Ich hatte das schon öfter bei ihr gesehen und erkannte es als Ausdruck von Betrübtheit. »Ich hab mich geärgert, daß du nicht Tobias bist«, brachte sie mühsam hervor. »Du hast eine Bemerkung gemacht, die völlig daneben war, und dadurch wurde mir bewußt, daß du noch zuwenig erfaßt hast, worum es in unserem Buch gehen wird, und das hat mich enttäuscht und verärgert, auch was mich selbst angeht natürlich, tja, so ist das. Ich bin zu sehr davon ausgegangen, daß dir ein halbes Wort genügt, aber du bist nicht Tobias, das vergesse ich manchmal. Und wenn es mir dann aufgeht, fühle ich mich schuldig, Tobias gegenüber, dir gegenüber, und wenn ich mich schuldig fühle, kriegt ein anderer eins von mir auf den Deckel.«

Aus tiefem Bedauern über das unschöne Motiv, das mich an jenem Abend dazu getrieben hatte, eine Bemerkung über die Abstammung der Ideen zu machen, ergriff ich ihre Hand und sagte, daß ich es schrecklich fände, sie zu enttäuschen.

»Eigentlich müßtest du dich darüber freuen, mein Lieber«, entgegnete sie, während sie mir mit dem Daumen über den Handrücken streichelte, »mich können nur Menschen enttäuschen, die ich liebe.«

»Ich liebe Sie auch«, sagte ich.

»Ja«, sagte sie.

Am Tag darauf sind wir in aller Frühe in die Bretagne aufgebrochen. Bisher war es immer Hochsommer gewesen, wenn wir dorthin gefahren waren, aber in jenem Jahr brach sehr früh der Herbst an, und schon in der zweiten Septemberwoche begannen die Blätter eine goldgelbe Glut zu verstreuen. Sogar in der Stadt nahm man den Erdgeruch von feuchtem Laub wahr. Lotte hatte einen guten Vormittag erwischt, und die ersten Stunden unserer Fahrt saß sie am Steuer. Seit unserem Gespräch hatte sich ein Gefühl bei mir eingestellt, für das ich in meiner Unvollkommenheit kein anderes Wort finden kann als »friedlich«. Ich war an jenem Abend noch ein Weilchen mit ihrer Hand in der meinen bei ihr sitzen geblieben. Sie hatte die Augen geschlossen, und nach wenigen Minuten konnte ich ihrer Atmung entnehmen, daß sie schlief. Nie zuvor hatte ich die Gelegenheit gehabt, sie so lange und ungesehen betrachten zu können, und ohne es zu wollen, mußte ich dabei ans Sterben und an den Tod denken. Ich weiß nicht, wie lange ich so bei ihr gesessen habe. Nach einer Weile habe ich behutsam ihre Hand losgelassen und bin mit dem Einpacken der Bücher, unserer Computer und der ordentlichen Kleiderstapel, die sie in ihrem Schlafzimmer bereitgelegt hatte, fortgefahren. Sie ist dann vom Knacken des Feuers aufgewacht, das ich für sie im Kamin angezündet hatte, und hat mir träge und verlegen zugesehen.

»Manchmal kann Trübsal so schön sein«, hat sie da gesagt.

Wir haben nach jener Reise noch zweimal den Sommer in der Bretagne verbracht, aber es war das letzte Mal, daß sie noch selbst gefahren ist. Im darauffolgenden Jahr fuhr ich sie in einem Kleintransporter, in dem genügend Platz für ihren schmalen, eleganten elektrischen Rollstuhl war, ins Sommerhaus. Die Krücken, die der Arzt ihr angemessen hatte, hat sie nie benutzt, weil sie zuwenig Kraft in Schultern und Armen hatte, um sich damit fortbewegen zu können. Sie hatte ihre guten und ihre schlechten Tage, aber der Arzt behielt recht, die Krankheit kannte kein Zurück. Während jenes herbstlichen Aufenthalts an der bretonischen Küste, als wir mit drei Kartons voller Bücher weggefahren waren und sie, ganz dem Genuß des Autofahrens hingegeben, am Steuer gesessen hatte, sah ich, wie der Kampf mit einem Schicksal begann, das sie bis dahin, den Eindruck hatte sie jedenfalls erweckt, gelassen hingenommen hatte.

Im Haus auf der Anhöhe bewohnte ich das geräumige Dachgeschoß, und Lotte schlief und arbeitete in zwei Zimmern im Erdgeschoß. Zentraler Raum im Haus war die Küche, mit einem ovalen Holztisch in der Mitte, an dem mindestens zehn Personen Platz hatten. Die Zimmer Lottes grenzten an diese Küche. In den vorhergehenden Sommern hatten wir unsere zum Aufenthalt in diesem Haus gehörigen Rituale entwickelt. Ich stand meist als erster auf und machte unten in der Küche Kaffee. Manchmal ging ich danach die Anhöhe hinunter und machte einen Strandspaziergang, doch in dem Jahr, als die Schmerzen einsetzten, wagte ich das nicht mehr, auch wenn ich über Piepser und Handy jederzeit erreichbar war. Schon gleich am ersten Morgen hörte ich, als ich in der Küche beschäftigt war, diese Geräusche aus Lottes Zimmern. Sie stöhnte und schnaufte, und hin und wieder fluchte sie laut. Ich hörte sie hin und her laufen wie ein eingesperrter Wolf, und als sie die Tür zur Küche aufmachte, sah ich zum erstenmal, was die Schmerzen bei ihr anrichteten, welche tiefen Furchen sie in ihr Gesicht zogen und welche ohnmächtige Wut sie auslösten, wie ich sie nicht an ihr kannte. Sie stand in der Türöffnung, ließ die Arme schlapp am Körper herabhängen und sah mich mit einem

Blick an, in dem Hilflosigkeit und Protest im Widerstreit lagen.

»Jedes Wort, das ich tippe, tut weh«, hat sie mir mit aufeinandergepreßten Zähnen zugezischt.

»Dann laß mich dir helfen.«

»Gut.«

In jenem Jahr in der Bretagne, in jenem Jahr, da die Schmerzen begannen und ich zum verlängerten Arm für ihren Kopf wurde, konnte meine Liebe zu Lotte Inden genau wie ihre Krankheit schließlich nur noch den Weg nach vorn antreten. Ein Satz, den ich irgendwann einmal unter *Liebe* bei ihr gefunden hatte, begleitete mich nun Tag für Tag, wenn ich sie ansah, wenn ich ihr zuhörte und ihre Worte notierte.

»Im Herzen der Liebe ist ein Hunger«, hatte sie geschrieben, und ich entsinne mich weiter, daß sie es als dem Wesen der Liebe eigen erachtete, daß man immer mehr davon wollte.

Sie hatte die Angewohnheit entwickelt, manchmal nach meinem Handgelenk zu fassen, um die Kraft in ihrer rechten Hand zu testen. Sie sagte, daß der Schmerz zwar klar und deutlich sei, daß es aber den Anschein habe, als werde er es hin und wieder müde, sich bemerkbar zu machen, und ginge dann in einen Taubheitszustand über, der ihren Körper unangenehm unwirklich mache, so daß sie nicht mehr wisse, ob ihre Gliedmaßen noch zu ihr gehörten und den Befehlen ihres Gehirns noch gehorchten.

»Darf ich mal kurz kneifen?« fragte sie dann, während sie mir schon die Hand auf den Arm gelegt hatte, und wenn sie dann zukniff, mußte ich ihr sagen, ob noch ein bißchen Leben in diesem Griff steckte.

Ihre Fingerabdrücke in meinem Fleisch und die Suche nach Sätzen brachten mich Lotte nun am Anfang vom Ende von Tag zu Tag näher. Näher ist vielleicht nicht das richtige Wort. Es war eher so, daß ich mich mehr und mehr in Lotte hineinversetzt wähnte und mit ihr zusammen hervorholte, was sich in ihrem Innern befand.

Bevor sie mir gestattete, ihr bei der Abfassung des Essays zu helfen, hatte sie mir erklärt, worauf sie hinauswollte und warum das Thema des Essays in das Gefüge des großen Romans gehörte.

»Das Wort Narzißmus hängt mir meilenweit zum Hals raus«, begann sie, »und wenn mir etwas meilenweit zum Hals raushängt, will ich wissen, warum. Das finde ich nur heraus, wenn ich darüber nachdenke. Und das tue ich jetzt also. Immer, wenn dieses Wort benutzt wird, schwingt unterschwellig eine Beschuldigung mit, und die bedenkenlose Stupidität derjenigen, die dieses Urteil fällen, macht mich rasend. Eine Reihe von Leuten hat dieses Urteil in die Welt gesetzt, und es hat vor allem durch das Buch von Christopher Lasch, *Das Zeitalter des Narzißmus,* allgemeine Verbreitung gefunden. Seither ist Narzißmus ein Modewort. Jemand, der eigenständig nachdenken kann, meidet Modewörter wie die Pest und verachtet die Papageien. Ich sage nicht, daß das Buch von Lasch schlecht oder unwahr wäre, aber es stützt sich auf einige Annahmen, die man durchaus mit Fragezeichen versehen kann. Dazu gehört insbesondere, daß hier jemand die Unverfrorenheit besitzt, die, im übrigen sehr verlockende, Behauptung aufzustellen, ein Jahrhundert bringe eine einzige Art von Persönlichkeit hervor. Was uns das zwanzigste Jahrhundert, namentlich dessen zweite Hälfte, seiner Meinung nach aufgehalst hat, ist der gefühllose, selbstgefällige, egomane Narzißt, der völlig unfähig ist, spontane, aufrichtige, tiefe Gefühle zu haben, haha, der keine dauerhaften, seriösen Beziehungen unterhalten und keiner sinnvollen Beschäftigung nachgehen kann, der flott und charmant im Umgang ist, wobei er ständig taxiert, welchen Eindruck er bei anderen hinterläßt, und währenddessen unsäglich unter der gähnenden

Leere in seinem eigenen Herzen leidet. Es geht doch wohl zu weit, wenn ich mir gefallen lassen muß, daß ich und meine Zeitgenossen fortwährend als selbstgefällig und gefühllos beschimpft werden, zumal von ein paar Solipsisten, die behaupten, dieses Jahrhundert bringe samt und sonders Narzißten hervor, selbst aber offenbar nicht davon betroffen sind, denn die Kritikaster des Narzißmus wußten sich dem übermächtigen Einfluß der Zeit, in der sie leben, natürlich zu entziehen. ›Was empfinde ich eigentlich wirklich?‹ ist die drängende Frage, die den Narzißt den lieben langen Tag quält, aber ich kann mich beileibe nicht erinnern, mir diese lächerliche Frage je gestellt zu haben. Dieser Lasch hat natürlich nur etwas ausgearbeitet, womit sich auch andere schon beschäftigt hatten, so geht das nun mal, die Geister schärfen sich aneinander. Ich denke, am meisten dürfte ihm der letzte Teil von *Verfall und Ende des öffentlichen Lebens* von Richard Sennett gebracht haben. Dieses Buch ist, abgesehen davon, daß ich es intelligenter und faszinierender finde, zum Glück frei von diesem Ton permanenter Entrüstung und penetrantem Konservatismus, den Lasch anschlägt. Laschs Darlegung ist insgeheim ein Plädoyer für die Rückbesinnung auf alte Werte wie Familie, religiöse Gemeinschaft, Nachbarschaftshilfe und so weiter, das Wiederherbeibeten eines sogenannten verlorengegangenen Gutes, wie es dir in den letzten Jahren sicher auch schon in den verschiedensten Formen begegnet ist. Sennett führt die Entstehung von so etwas wie der narzißtischen Persönlichkeit auf etwas viel Interessanteres zurück, nämlich auf die Verwischung des Unterschieds zwischen öffentlicher und privater Welt.«

»Der große Roman«, unterbrach ich sie.

»Max, ich könnte dich küssen«, entgegnete sie mit ulkigem Fatalismus.

»Wieviel davon hast du schon selbst aufgeschrieben?«

»Genau das in etwa.«

»Und wohin willst du noch?« fragte ich.

»Dahin, wo ich immer hinwill«, antwortete sie, mit sardonischem Grinsen ihre momentane Mißlichkeit verscheuchend, »aufzeigen, daß das weiß Gott nichts Neues ist, daß das, was andere als typische Erscheinung des zwanzigsten Jahrhunderts hinstellen, auf einen alten, ewigen und zutiefst menschlichen Konflikt zurückzuführen ist.«

»Zwischen?«

»*You name it*, zwischen drinnen und draußen, Du und Ich, echt und unecht, Wirklichkeit und Fiktion. Dieses dumme Gewettere der Kritiker gegen die sogenannte autobiographische Literatur hab ich auch gründlich satt. Das ist in seiner Eigenschaft als beschuldigendes Urteil mit der Abstempelung von allem und jedem als narzißtisch sehr verwandt. Jeder plappert jedem ein bißchen nach und bringt so einen Alphahype aufs Tapet. Was denken die denn um Himmels willen, woher die Literatur kommt? Da wird in sturen Bahnen gedacht, im Rahmen eines einzigen Wortes, und das Wort ist ein Käfig. Da macht keiner mal den Versuch, eine historische, soziologische oder sonstwelche Erklärung für die Häufung einer bestimmten Erscheinung oder für die Wenden in den Genres und deren gegenseitige Verflechtungen zu geben. Der Stempel narzißtisch oder autobiographisch hat keinerlei analytischen oder differenzierenden Wert, nicht den geringsten. Man verschone mich bloß mit solchem Gefasel! Beckett, Brodkey, Joyce, Duras, Genet, Pavese, Proust, Multatuli, Capote, Roth, Dostojewski, die ganze gottverdammte Weltliteratur ist autobiographisch, das will also gar nichts heißen. Nennt man das Ganze Neorealismus, ist es aber plötzlich was völlig anderes. Es wird nicht mehr erklärt, es wird verurteilt und beschuldigt. Neben der Lyrik, dem Popsong und einer Handvoll anderer Formen der Dichtung ist der Roman die einzige Kunstform, in der man dem einzigartigen menschlichen Phänomen der

Selbstbespiegelung und der höllischen Absonderung des Denkens nachgehen kann, denn jede andere Kunst läßt einen draußen, läßt einen von außen draufschauen. Wenn zu einem bestimmten Zeitpunkt in der Geschichte der Literatur die Selbstbespiegelung wieder größeren Raum einnimmt, dann hat das mit eben jenem Moment in der Geschichte zu tun, mit der Stellung der Literatur und ihrer Abgrenzung gegenüber anderen Medien.«

Lotte hatte das alles eher ausgespuckt als ausgesprochen, und ihre Wangen waren vor Erregung gerötet.

»Lasch und Sennett sind aber auch extrem amerikanisch«, wandte ich ein, obwohl ich ihre Aufgebrachtheit sehr genoß. »Wir haben hier vielleicht doch ein kleines bißchen mehr Heraklit, Platon, Aristoteles und Augustinus gelesen als der durchschnittliche Amerikaner, denke ich.«

»Ich weiß nicht, ob das so ist«, entgegnete sie, »aber was ich weiß, ist, daß die Amerikaner viel bewußter mit Zeiterscheinungen umgehen, die wir hinter dem Stolz auf unsere alte Kultur verstecken. Wir quatschen schon ein wenig zu lange über griechische Mythen, die Kabbala, jüdisch-christliche Symbolik und die Wunder der Alchemie, während sie sich längst darüber im klaren sind, daß Batman, Donald Duck, James Dean und Columbo mindestens genauso wichtig sind und die Wirklichkeit nicht mehr zu begreifen ist, wenn man in seinen Analysen neue Verhaltensweisen, wie sie das Kino, das Fernsehen, Mobilfunk, Piepser, Internet und Cybersex erzeugen, außer acht läßt.«

»Aber wir haben zumindest einen Krieg, zu dem wir noch einen näheren Bezug haben als die Amerikaner. Und wie könnte man eine Analyse der Persönlichkeit des zwanzigsten Jahrhunderts anstellen, ohne dabei ausführlich auf den Zweiten Weltkrieg einzugehen?«

Lotte sah mich an, ohne den Eindruck zu erwecken, daß sie hörte, was ich sagte.

»Es geht mir darum aufzuzeigen, daß das Phänomen der Selbstbespiegelung uralt ist und eine vermehrte Selbstbespiegelung immer unter den gleichen Umständen auftritt, nämlich immer dann, wenn eine größere Notwendigkeit besteht, zwischen Ursprünglichem und Nicht-Ursprünglichem, zwischen Lüge und Wahrheit, echt und unecht, Fiktion und Wirklichkeit, zwischen Verschweigen und Offenbaren zu differenzieren. Ich glaube nicht, daß sich die Menschen so wesentlich verändert haben. Was sich in der zweiten Hälfte des zwanzigsten Jahrhunderts verändert hat, waren der Status und der Charakter einer Reihe von Dingen und unser Wissen darüber. So hat sich zum Beispiel der Status des Geheimnisses tiefgreifend verändert, und so etwas wie Fiktion bedeutet sowieso nicht mehr dasselbe wie vor hundert Jahren. Sobald von einer Krise die Rede ist, stimmt irgendwas mit dem Unterschied zwischen dem einen und dem anderen nicht mehr, hat er sich verwischt, ist er undeutlicher und dadurch komplexer geworden.«

Ihrem Gesicht und ihren Schultern sah ich an, daß sie nach Stift und Notizbuch greifen wollte, die vor ihr auf dem Tisch lagen. Es gelang ihr nicht.

»Könntest du bitte eben etwas aufschreiben?« fragte sie daraufhin und wandte das Gesicht ab, um vor mir zu verbergen, daß sie rot wurde. Eine plötzliche Eingebung sagte mir, wie ich ihr das Sprechen vielleicht erleichtern konnte, und ich wandte ihr impulsiv den Rücken zu, nahm Stift und Papier und wartete in dieser abgewandten Haltung auf ihre Worte.

»Jeder Kopf ist ein Archiv, und jeder Körper birgt Erinnerungen«, diktierte sie dann ohne merkliches Stocken. »Sie sind von außen nach innen gelangt. Wir waren nie allein auf der Welt. Wir waren stets von anderen umgeben, die sich eingenistet haben mit ihren Worten, ihren Berührungen, ihren Dummheiten und ihrer Weisheit, mit ihren mitleidsvollen und ihren strafenden Blicken im Gedächtnis unseres Gehirns, unserer Haut und unserer Organe. Wir wurden geboren und lagen in der Wiege unter einer Decke aus Jahrtausenden von Geschichte, und wir hatten keine Möglichkeit, darunter hervorzukommen, ohne etwas davon zu wissen.«

Sie stöhnte und hörte auf.

»Hab ich ›Dummheiten‹ gesagt?«

»Ja.«

»Mach ›Irrtümer‹ draus.«

Die Briefe, um die Lotte gebeten hatte, steckten vorn in der Hülle des Ringbuchs F-H. Die Handschrift auf den Kuverts war sorgfältig und verriet den großen Einsatz desjenigen, der sie beschrieben hatte.

»Ich bin traurig. Ich sehne mich nach der Stimme meiner Mutter«, hatte Lotte an diesem Morgen zu mir gesagt und mir erzählt, wo ich einige Briefe von ihrer Mutter finden könne. Sie habe nachts von ihrer Mutter geträumt, sagte sie, und sei betrübt aus diesem Traum erwacht.

»Ich bin natürlich froh, daß es meinen Eltern erspart geblieben ist, meinen Verfall miterleben zu müssen«, hatte sie mit traurigem Ausdruck in den Augen gesagt. »Die Hierarchie der Gerechtigkeit sieht nun mal vor, daß Kinder ihre Eltern begraben, aber ich würde alles dafür geben, wenn sie jetzt kurz bei mir wären, um mich beim Abschiednehmen zu trösten. Ich hab Ante-mortem-Kummer, Max.«

»Das ganze Leben ist nichts als Ante-mortem-Kummer«, erwiderte ich und brachte sie damit zum Lachen.

»Glaubst du an etwas«, fragte ich dann vorsichtig, »an ein Leben nach dem Tod oder so?«

»Ich glaube nicht, daß die Toten noch leben, nein«, antwortete sie, »auch wenn ich das gern wollte. Aber in meinen Träumen laufen sie noch herum, meine Mutter mit ihren forschen Schritten und ihrem stolzen, geraden Rücken, mein Vater ruhig und voll Vertrauen auf seinen starken, gelenkigen Körper und TT mit seinem rührenden nervösen Getrippel, und dann möchte ich sie alle nehmen und aus dem Film meines Traums herausholen, sie wieder auf die Erde setzen, sie bei mir haben. Es ist diese vermaledeite Illusion der Greifbarkeit, die das Erwachen aus dem Traum so schmerzlich machen kann.«

»Ich war erleichtert, als mein Vater starb«, sagte ich.

»Ja, mein Lieber, das weiß ich«, sagte Lotte sanft, »und das ist weiß Gott nichts, worum ich dich beneide.«

Meine liebe Tochter,

Vielen Dank für Deinen wundervollen Brief. Zuerst habe ich ihn gelesen, und dann habe ich ihn Papa gegeben, und wir haben beide mit Tränen in den Augen dagesessen, das sollst Du ruhig wissen, dafür schämen wir uns kein bißchen, Papa auch nicht. Als Eltern versucht man ja alles so gut wie möglich zu machen. Es ist schön, wenn die Kinder einem später dankbar sind, ich kann Dir gar nicht sagen, wie froh wir darüber sind. Und Fehler macht jeder, das wissen wir gut genug. Aber, Kind, früher war man ja auch bei allem auf sich allein angewiesen, da war es nicht so wie heute, wo es solche Sendungen im Fernsehen gibt und Bücher und Kindertagesstätten und Kurse. Das hatten wir alles nicht. Wir gingen jeden Tag in die Kirche und beteten für das Glück unserer Kinder, für jedes Kind einen Zehner vom Rosenkranz und manchmal auch zwei, wenn Ihr Prüfungen hattet oder später solche Reisen in ferne Länder gemacht habt. Mit Gottes Hilfe ist etwas aus Euch geworden, und dafür danke ich Ihm noch jeden Tag.

Du stellst wieder schwierige Fragen, Kind, aber Papa sagt, daß Du das schon immer gemacht hast. Wir haben uns auch oft gefragt, woher Ihr das wohl habt, das ist uns manchmal wirklich ein Rätsel. Und es war für uns einfache Leute nicht immer leicht, Kinder zu haben, die so gut in der Schule waren und schon bald mehr wußten, als unsereins je gewußt hat, und die eigentlich ganz andere Dinge wollten als andere Kinder. Da macht man sich als Eltern doch so seine Sorgen. Jetzt sind wir natürlich sehr stolz, wenn unser Just im Fernsehen kommt, aber als er auf die Schauspielschule wollte, hat das Papa und mir sehr zu schaffen gemacht. Niemand in unserer Familie hat Kinder, die auf solche abnormalen Dinge aus waren, und wir hätten es auch lieber gehabt, wenn er sich, so gescheit, wie er ist, einen normalen Beruf ausgesucht hätte, so wie sein Cousin, der auch so gute Zensuren in der Schule hatte und Ingenieur geworden ist. Theaterspielen, das haben sie bei uns zu Hause als Hobby betrieben, und wir fanden, daß das kein Beruf für unseren Jungen ist, denn man sorgt sich als Eltern doch, daß damit später nichts Rechtes zu verdienen ist und es in dieser Künstlerwelt nicht ganz geheuer zugeht, mit Alkohol und Drogen und so. Daß unser Michael Tierarzt geworden ist und unser Timmie Ge-

schichtslehrer, das ist besser zu verstehen, das ist eher etwas, was in der Familie liegt, denn Dein Großvater von Papas Seite war ein echter Pferdekenner, und unser Mick war als kleiner Junge gar nicht mehr wegzukriegen von seinem Bauernhof. Es war herrlich zu sehen, wie Dein kleiner Bruder einen so schweigsamen Mann wie Deinen Großvater um den Finger wickeln konnte, und wenn die beiden Hand in Hand durch die Felder liefen, dann war man schon manchmal zu Tränen gerührt, so schön sah das aus. Dein Großvater war ein strenger Mann, aber sehr rechtschaffen, man konnte sich, so zurückgezogen die lieben Leute auch lebten, jederzeit an ihn wenden, wenn ein Tier krank war oder ein Pferd geprüft werden mußte. Ich denke also, daß Michael seine Tierliebe daher hat und daß er deswegen ziemlich abgeschieden auf dem Land lebt. Bei unserem Jüngsten ist das eine Sache für sich. Ich will mich ja nicht brüsten, aber ich denke, daß er die Liebe zur Geschichte am ehesten von mir hat, denn ich mag Geschichte doch auch so gern, und als er geboren wurde, wart ihr anderen schon älter, und ich hatte mehr Zeit, so daß ich abends wieder Bücher lesen konnte, und da habe ich Timmie dann vor dem Schlafengehen von Napoleon und Sissi und Ludwig dem Vierzehnten erzählt. So, jetzt habe ich alle durchgenommen außer Dich, aber wenn Du es mir nicht übelnimmst, mache ich jetzt vorerst einmal Schluß. Oh, es ist schon nach elf, und Papa gähnt auch schon, und meine Hand ist ein bißchen verkrampft, denn ich bin es nicht gewohnt, so viel zu schreiben. Du schon, nicht? Schlaf schön, liebes Kind, und bis morgen. Tschüüüs.

Guten Morgen, Lottchen, hier ist Deine Mutter wieder. Hast Du gut geschlafen? Papa und ich auch. Papa hat gerade gefrühstückt und ist jetzt eine Weile draußen beschäftigt. Er sagte, daß ich Dir auf alle Fälle von dem Mann mit dem Haken erzählen soll, das ist eine so schöne Geschichte, findet Papa, und so typisch Du. Bei Dir haben wir uns am allerwenigsten vorstellen können, was mal aus Dir werden würde. Denn, Kind, Du warst wie Quecksilber. Du warst noch keine sechs Wochen alt, da warst Du schon so beweglich und lebhaft, daß ich Dich keine Sekunde aus den Augen lassen konnte. Eh ich mich versah, hattest Du Dich vom Tisch gerollt und lagst zuerst erschrocken und dann krähend vor Vergnügen auf dem Fußboden. Sie will Radfahren lernen, bevor sie laufen kann, sagte Papa dazu, nett, nicht? Wir hatten viel Freude an Dir, denn als kleines Kind warst Du immer sonnig und fröhlich. In der Schule warst Du dann später auch viel zu unruhig, und wir mußten so manches Mal zu Deinen Lehrern kommen, um über Dich zu reden, denn Du konntest eine ganze Klasse auf den Kopf stellen und hast nur das gemacht, wozu Du Lust hattest. In Deinen Zeugnissen stand bei Betragen immer: Könnte besser sein. Lesen und schreiben konntest Du dafür schon, bevor Du in die erste Klasse kamst, und wir haben keine Ahnung, von wem Du das gelernt hast. Es scheint fast, als hättest Du es von allein gekonnt, und für Papa und mich war das ein kleines Wunder. Nicht auszudenken, daß Du später Schriftstellerin werden würdest! Du warst früher wie ein Junge. Du bist auf die höchsten Bäume geklettert, auf fahrende Karren aufgesprungen, und Du hast lauter solche gefährlichen Sachen gemacht, die Mädchen normalerweise nicht machen. Wir haben uns schon viele Sorgen um Dich gemacht, Papa und ich, denn Du warst bei Balgereien ruppiger als alle Jungs zusammen, und so manches Mal bist Du mit kaputten Knien oder einem Loch im Kopf nach Hause gekommen, und manchmal wolltest Du das vor Deiner Mutter verbergen, und dann war morgens Dein ganzes Kissen voller Blut, weißt Du noch? Es soll kein Vorwurf sein, Kind, aber als Du älter und stiller wurdest, hattest Du plötzlich so ein geheimes Leben, und Papa und ich wußten nicht mehr, was in Dir vorging. Man kann unser Lottchen anschauen, soviel man will, in sie hinein schaut man nicht, sagte Papa, und so war es auch, denn so fröhlich und gut gelaunt Du auch immer getan hast, wir kriegten nichts aus Dir heraus. Es war schon seltsam, ein Kind zu haben, das so spontan und lebenslustig und zugleich so geheimnisvoll und verschlossen war. Die Jungs kamen ja immer irgendwann mit ihren Sorgen zu mir, und dann hat man ihnen als Mutter so gut wie möglich Ratschläge zu geben versucht, aber Du bist immer allein mit allem zurechtgekommen, und wenn ich mal nachfragte, was Du denn so alles denkst und machst, hast Du ganz pikiert reagiert, und ich war keinen Schritt weiter. Laß Lottchen nur, die weiß sich schon zu helfen, sagte Papa dann, aber er machte sich manchmal auch so seine Gedanken und tat mir gegenüber zwar wer weiß wie überzeugt, hat sich dann aber die ganze Nacht neben mir im Bett herumgewälzt und gegrübelt. Was haben wir uns für Sorgen um Euch gemacht, Kind, aber das geht wohl allen Eltern so, oder? Kinder hat man lebenslang, sagt man ja immer, und das stimmt. Michael, Just und Du, Ihr seid in einer Zeit groß geworden, die für uns schwer verständlich war, mit dieser ganzen Beatmusik und so und den langen Haaren und den Jeans. Das war alles nicht so leicht. Papa bekam damals jedes Jahr so einen Terminkalender mit festem Einband, und einmal, Du mußt wohl so um die dreizehn gewesen sein, genau weiß ich es nicht mehr, bekam er von gleich zwei Firmen so einen Kalender zugeschickt. Da hat er einen davon Dir gegeben, weil Du ganz versessen warst auf alles, was aus Papier war, weißt Du noch, und von da an hast Du jeden Tag stundenlang in Deinem Zimmer gesessen und geschrieben. Du hast das, glaube ich, nie gewußt, aber in den darauffolgenden Jahren bekam er keine zwei mehr gratis. Da hat er einfach jedes Jahr einen für Dich dazugekauft, ohne Dir das je zu sagen, lieb, nicht? Jetzt möchtest Du wissen, woher Du das alles hast, und ich kann Dir als Mutter nicht wirklich eine Antwort darauf geben. Du hast es von zwei Seiten, denke ich, das Zurückgezogene von seiten Deines Vaters und das Ausgelassene von uns.

So, Kind, jetzt mache ich aber einen Punkt, denn Papa kommt gerade wieder rein, und wir wollen jetzt eine Schnitte Brot zusammen essen, mit einer Tasse leckerer Bohnensuppe von gestern dazu, denn die schmeckt am zweiten Tag noch besser. Sorgst Du auch gut für Dich? Papa fragt, ob ich Dir die Geschichte von dem Mann mit dem Haken erzählt habe, aber die hab ich komplett ver-

gessen. Das mach ich dann beim nächstenmal, ja?
Es ist doch ein langer Brief geworden, das gefällt
Dir sicher, hm? Versuch doch mal, etwas weniger
zu rauchen, Lottchen, und ansonsten freuen wir
uns auf Deinen Besuch nächste Woche. Tschüüüs,
einen dicken Kuß von Deinen Dich liebhabenden
Eltern, Mama.

Ich beließ es an jenem Vormittag bei der Lektüre
dieses einen Briefes, ehe ich die Briefe an Lotte
weitergab. Noch nie hatte ich mir Lotte als Kind
vorgestellt, aber durch die Lektüre dieses Briefes
von ihrer Mutter sah ich nun voller Wehmut den
Anfang ihres Lebens vor mir, ein wildes, fröhli-
ches Baby auf einer Decke, das vor lauter Vergnügen alles bewegt, was zu bewegen ist, und die un-
bezähmbare Lebenslust mit seinem ersten Sturz
bezahlt. Es war dieselbe Lotte, die ich nun immer
öfter stützen, hochheben und tragen mußte, die
ich badete und aufs Klo setzte und die mir mit
schöner Regelmäßigkeit ins Ohr murmelte, daß
sie wieder bei Null anfangen müsse.

Sie sah mich erstaunt an, als ich ihr den Stapel
Briefe übergab. »Mein liebes lahmes Lottchen, du
warst wie Quecksilber«, sagte ich.

»Schreibt meine Mutter das?« fragte sie gerührt.

»›Kind, du warst wie Quecksilber.‹«

»Ach, die liebe«, sagte Lotte, und ihre Augen füllten sich mit Tränen, während sie auf die Kuverts schaute.

»Es ist die Handschrift«, sagte sie entschuldigend. »Die Handschriften und die Stimmen von geliebten Toten sind so trügerisch lebendig, und das macht es so schwer erträglich, sie anzusehen. Ich habe meine Mutter dann sofort vor Augen, wie sie angestrengt über das Papier gebeugt dasitzt und schreibt. Man kann an ihrer Handschrift ablesen, daß sie sich bei jedem Wort an den Unterricht der Lehrerin erinnert, die ihr das Schreiben beibrachte, und daß sie noch immer versucht, fein säuberlich auf den Linien zu bleiben und die Buchstaben eines Wortes miteinander zu verbinden.«

»Du hast sie geliebt«, sagte ich mit einem Anflug von Eifersucht, der ihr nicht entging.

»Ja«, sagte sie ruhig, »ich habe meinen Vater und meine Mutter immer sehr lieben können.«

Ehe ich sie mit den Briefen von ihrer Mutter allein ließ, bat ich sie noch, mir später die Geschichte vom Mann mit dem Haken zu erzählen.

»In Ordnung«, sagte sie mit großem, traurigem Lächeln.

Am Abend vor unserer Abreise aus der Bretagne hat sie mir die Geschichte von dem Mann mit dem

Haken erzählt, eine Geschichte, die ihrem Vater zufolge so typisch Lotte war.

»Das Gut von meinem Großvater väterlicherseits lag an einem Fluß. Als Kinder turnten wir natürlich gern in den Weiden dort herum. Es war paradiesisch schön. Der Fluß machte eine Biegung, die Bäume waren hoch, und weit und breit waren keine Erwachsenen, die einen beim Spielen stören konnten. Damit wir uns vor den Gefahren des Flusses in acht nahmen, sagten unsere Eltern, im Wasser sitze der Mann mit dem Haken, der kleine Kinder in die Tiefe ziehe, wenn sie ins Wasser hineingingen. Ich glaube nicht, daß ich das glaubte, aber es störte mich nicht, daß sie versuchten, uns etwas weiszumachen. Und damit sie beruhigt waren, widersprach ich der Geschichte vom Mann mit dem Haken nicht, sondern tat, als glaubte ich sie. Bis eines Tages mein Vater uns an den Fluß begleitete. Er schaute aufs Wasser und zeigte auf einen Strudel. ›Seht mal‹, sagte er, ›da sitzt der Mann mit dem Haken.‹ Das ging mir zu weit. Ich meine, man darf mir ruhig etwas weiszumachen versuchen, aber nicht direkt in meinem Beisein, da muß ich mich ja veräppelt fühlen. Also zeigte ich auf einen Strudel ein Stück weiter weg. ›Sitzt der Mann mit dem Haken denn dort auch?‹ fragte ich ganz naiv. Mein Vater fiel darauf herein. ›Ja‹, sagte er, ›dort sitzt er auch.‹ Nun hatte ich schon früh gelernt, daß der Allmächtige Gott die unfaßbare Eigenschaft besaß, überall gleichzeitig sein zu können. Und ich fand, *ein* derart mächtiges Wesen war genug. ›Ist der Mann mit dem Haken denn Gott?‹ fragte ich also. Da erschrak mein Vater, genau wie ich es bezweckt hatte. Er fragte mich, wie ich denn darauf käme, und ich antwortete, ich dächte, nur Gott könne an mehreren Orten gleichzeitig sein und sonst niemand. ›Nein‹, erwiderte mein Vater daraufhin, und ich entsinne mich, daß ich das sehr fair von ihm fand, ›der Mann mit dem Haken ist nicht Gott.‹ Ich scheine ihm dann tröstend gesagt zu haben, daß das Ganze natürlich nur eine Geschichte sei, um Kinder vom Wasser fernzuhalten, und mein Vater hat das zugegeben. ›Aber nicht Timmie verraten‹, hat er dann noch mit dem Finger auf den Lippen geflüstert, und das ist mir gar nicht schwergefallen, denn das mit dem Weihnachtsmann hatte ich auch schon seit Jahren für mich behalten.«

Bei unserer Abreise aus der Bretagne waren für mich zwar nicht alle, aber doch ein großer Teil der heimlichen Zusammenhänge zwischen den eingepackten Büchern gelüftet. Manchmal ging es Lotte bei einem Buch, das wir mitgeschleppt hatten, nur um einen einzigen Satz, und wenn ich sie dann fragte, warum wir dafür das ganze Buch zwölfhundert Kilometer weit hätten befördern müssen, antwortete sie, daß sie das als eine Form des Tributs betrachte.

»Diese Bücher haben zuerst mich befördert, ehe ich sie befördern durfte«, sagte sie.

Nie habe ich in all den Jahren aufgehört, die Treffsicherheit zu bewundern, mit der sie mir bestimmte Anweisungen erteilte.

»Du mußt heute drei Zitate für mich untereinandersetzen«, bat sie mich zum Beispiel und diktierte, ohne zu zögern. »Das erste ist aus *Das tägliche Leben* von Marguerite Duras und lautet: »Das Talent und die Genialität verlangen nach Vergewaltigung, rufen nach ihr wie nach dem Tod.« Das zweite steht gleich am Anfang der Biographie von Jane Bowles, das mußt du heraussuchen. Es ist die Passage, in der der Titel, *A Little Original Sin,* erklärt wird, ein kleines Gedicht mit genau den Rechtschreibfehlern, wie sie es mit zwölf oder dreizehn in das Poesiealbum einer Freundin geschrieben hat. Und das dritte wird ein wenig schwieriger, da hoffe ich, daß du es anhand der Anmerkungen im Buch findest, es können durchaus mehrere Sätze sein, zu finden sind sie in *Prometheus* von Carry van Bruggen, und sie handeln alle von der Unterscheidung zwischen Individualität und Uniformität, wovon aber nun mal das ganze Buch handelt, also wenn da keine Sätze prangen, die ich herausdestilliert habe, mußt du es mir runterbringen.«

Wie der große Roman zusammengesetzt sein würde, war mir im Laufe der Zeit stets klarer geworden, und so erschien es mir auch nicht mehr so rätselhaft, die Sätze, um die sie gebeten hatte, zu destillieren.

»Das Talent und die Genialität verlangen nach Vergewaltigung, rufen nach ihr wie nach dem Tod.«

»For there is nothing orriginal about me, But a little orriginal sin.

It was a separating sin, separateness itself becoming sin.«

»Sich zu unterscheiden, anders zu sein als andere, ist Voraussetzung für unsere Selbsterhaltung, daher streben wir alle nach der Unterscheidung – was uns manchmal als Unart erscheint, ist eine Notwendigkeit, eine in ›Lust‹ umgemünzte Lebenserfordernis.«

Um mir die Sache zu erleichtern, hatte Lotte auf ihrem Computer ein einfaches Schema aus Wortclustern entworfen, die ich in den vergangenen Jahren aus den Büchern herausdestilliert hatte.

Die Cluster waren durch ein Hauptwort miteinander verbunden, das sie in Großbuchstaben getippt hatte. Mit vor Anspannung und Wonne gerötetem Gesicht konnte sie neben mir sitzen und, über einen Ausdruck des Schemas gebeugt, mit Inbrunst zum Beispiel von den wundervollen Zusammenhängen zwischen Geheimhaltung, Abschied und Unterscheidung erzählen und wie diese im Gefüge des Romans unterzubringen seien.

»Das grenzt an die reine Glückseligkeit«, konnte sie dann sagen, während sie mit einem Rotstift die Lemmata einkreiste, um die es ging.

In einem Gespräch mit Margaretha hatte diese zu Lottes Strukturierungssucht bemerkt, daß sie wahrscheinlich einer gewissen Ohnmacht entspringe und dem Wunsch, das Unbeherrschbare zu beherrschen und zu kontrollieren.

»Weißt du, warum du das immer gemacht hast«, habe ich Lotte daraufhin eines Tages gefragt, »warum du alles, was du siehst und liest, unter einem Stichwort rubrizierst?«

»Um besser nachdenken zu können«, antwortete sie, ohne groß zu überlegen. »Wenn ich mir einen Naturfilm ansehe und mir dabei bewußt wird, daß ich Naturfilme gruseliger finde als den gruseligsten Horrorfilm, dann mache ich eine Notiz darüber und rubriziere die unter *echt – un-*

echt. Die Rubrik ist bereits eine Deutung, und das Finden eines Lemmas ist der Beginn des Gedankens. Ich finde Naturfilme so gruselig, weil sie echt sind, weil sich das Bild von dem einen Tier, das ein anderes Tier in Stücke reißt, mit der Wirklichkeit deckt und ich in dem Moment also die Schmerzen und den Tod eines lebendigen Wesens mit ansehe.«

Ich erzählte ihr, daß eine professionelle Psychiaterin ihren Hang, alles zu strukturieren und zu rubrizieren, etwas weniger schmeichelhaft eingeschätzt habe.

»Wie denn?«

»Als den Wunsch zu beherrschen, was unbeherrschbar ist.«

Durch meine jeweiligen Erzählungen hatten die beiden Frauen, ohne einander je begegnet zu sein, Sympathie füreinander entwickelt, was unter anderem den schönen Begleiteffekt hatte, daß Lotte nicht gleich die Stacheln aufstellte, wenn sie auch nur den geringsten Widerspruch witterte.

»Sagt Margaretha das?« fragte sie belustigt.

Ich bejahte. Sie dachte kurz nach und nickte dann langsam.

»Ein bißchen recht hat sie schon«, räumte sie widerstrebend ein. »Denken entspringt dem Verlangen nach Sinngebung, nach Trost, nach Macht, nach einem Entkommen aus der Verzweiflung und aus der schrecklichen Verlassenheit des Verstandes, ja, das dürfte schon so sein.«

Weil ich erst kurz zuvor die Sätze von Duras, Bowles und van Bruggen untereinander geschrieben hatte und sie über diese Frauen gesagt hatte, sie seien die einsamsten, die sie je auf dem Papier kennengelernt habe, fragte ich sie, ob sie damit eine Verlassenheit des Schriftstellers meine.

»Nein«, sagte sie, »jeder ist so verlassen, aber die Schriftsteller schreiben darüber und heben dadurch manchmal für eine kleine Weile die Verlassenheit der anderen auf, aber dafür bezahlen sie mit ihrer Absonderung und einer Verlassenheit, die von Zeit zu Zeit größer ist als die derer, denen sie sich mitteilen.«

»Denn du unterscheidest dich durch das Mitteilen«, sagte ich.

»Ich glaube, jetzt hast du es durch und durch verstanden, Max«, erwiderte sie mit müdem Grinsen.

Einige Monate nachdem die Schmerzen in ihren Schultern und Armen eingesetzt hatten, ließ die Muskelkraft in ihrem Becken und ihren Beinen nach. Sie hatte das große Glück, daß sie noch ein wenig Kraft im rechten Arm und in der rechten Hand zurückbehielt, der Hand, die sie so oft an mir getestet hatte und die sie brauchte, um Türen zu öffnen, ihr Wägelchen zu lenken und sich noch Zugang zu ihrem Erbgut zu verschaffen. Es war auch die Hand, die sie mir noch in den Nacken legen konnte, wenn ich sie morgens aus dem Bett hob und abends ins Bett trug, und die mir nachts über das Gesicht streichelte.

»Willst du mit mir ins Bett, Max?« hatte sie eines Abends gefragt, und ich habe ja gesagt, denn das wollte ich. Ich hätte schon lange nicht mehr mit einer Frau geschlafen, verriet ich ihr.

»Dann behandle mich einfach wie einen Mann«, hat sie mich daraufhin beruhigt. Aber das war nicht nötig, denn Lotte konnte man gar nicht anders denn als Frau lieben. Sie weinte, als ich zum erstenmal mit ihr schlief, und ich habe mit ihr geweint, als ich sie zum letztenmal liebte und sie sagte, daß die Lust zwar noch in ihrem Kopf sei, sie aber nichts mehr fühlen könne. Das war wenige Wochen vor ihrem Tod, und ich habe ihr daraufhin gesagt, daß die zwei Jahre, in denen ich sie lieben durfte, die glücklichsten meines Lebens gewesen seien, und erinnerte sie an das, was sie in unserer ersten Nacht gesagt hatte, daß sie Angst gehabt habe, mich unglücklich zu machen, weil sie mir so wenig Zukunft bieten könne und die Liebe Ewigkeit wolle.

»Ein Tag Zukunft ist auch Zukunft«, habe ich ihr damals darauf entgegnet.

Die beste Methode, Lotte aus Anfällen von Lethargie herauszuholen oder sie die dauernden Schmerzen vergessen zu lassen, war, sie zu dem Material für den großen Roman zurückzubringen. Mit den Jahren konnte ich in ihrem Gesicht lesen wie in einem Buch, und wenn ich sah, daß sie die Schmerzen unterdrückte, stellte ich mich manchmal dumm und gab vor, daß ich irgend etwas von dem Material noch nicht ausreichend verstünde oder daß mir noch nicht klar sei, wie ich es in den Griff bekommen sollte und welchen Platz wir ihm im Roman zuordnen würden. Damit riskierte ich zwar, daß sie ärgerlich wurde, denn Begriffsstutzigkeit konnte sie nur schwer ertragen, aber da sie in ihrer Wut so lebendig war, nahm ich das in Kauf und freute mich, wenn mein Plan erfolgreich war und ich mich an ihren vitalen Tiraden laben konnte. Manchmal brauchte es dazu nicht mehr, als ein wenig Öl ins Feuer zu gießen, wenn ich sah, daß sie sich über etwas ärgerte, das sie gerade las.

»Wieder einen Feind entdeckt?« fragte ich dann.

»Na und ob«, konnte sie dann losplatzen, woraufhin sie, wie ich erkennen konnte, kurz hin und her gerissen war, ob sie ihrer Müdigkeit nachgeben und mich mit einer Verweisung auf ein Lemma (siehe unter *Ärgernisse* oder so) abspeisen oder dem Verlangen nach der Glut der Empörung gehorchen sollte. »Wieder so ein Schlappschwanz, der es für nötig hält, sich mit seiner sogenannten Ehrlichkeit zu brüsten, und stolz verkündet, daß er, wie natürlich auch alle anderen, nie Musils *Mann ohne Eigenschaften* gelesen habe, daß das Werk Prousts einschläfernd sei und der *Ulysses* unlesbar. Das macht mich blind vor Verachtung und Wut, und zugleich könnte ich laut lachen, weil es unbeabsichtigt ein solches Armutszeugnis ist. Für Dummheit kann man nichts, aber stolz auf die eigene Dummheit zu sein, das ist doch wohl der Gipfel!«

»Ich muß zugeben, daß ich den *Ulysses* auch nie zu Ende gelesen habe.«

»Ja, aber du schreibst auch keine literarische Kolumne für eine Zeitung, um der Welt dieses Zeugnis deines Unvermögens auch noch voller Stolz kundzutun. Ein Literaturkritiker, der Proust, Musil und Joyce nicht gelesen hat, ist mit einem Naturwissenschaftler vergleichbar, der sagt, er habe Newton beiseite gelassen, weil er von dem nicht viel halte.«

»Wie alt bist du jetzt? Daß du dich noch derart

über ein allgemein menschliches Phänomen wie Dummheit ereifern kannst.«

»Das hat doch nichts mit dem Alter zu tun, Max. Und ich ärgere mich ja auch nicht über die Dummheit an sich, der kann man aus dem Wege gehen. Ich brauche mich ja mit jemandem, der mir nicht zusagt, nicht abzugeben. Ich ärgere mich über Dummheit, der ich nicht entgehen kann, weil sie in den Medien breitgewalzt wird, ich ärgere mich über Dummheit, die einen Stift führen darf und dadurch an einer Meinungsmache mitwirkt, bei der mir angst und bange wird.«

»Sie sind so schön, wenn Sie böse sind.«

»O Max, bitte«, stöhnte sie, »so was sagt man wirklich nur in B-Movies.«

Über ihr Ende hatte sie sich immer ganz unumwunden geäußert und mit mir, ihren Brüdern und ihrem Arzt ausführlich über alles gesprochen. Zu mir hatte sie gesagt, daß ihr Tod mit dieser Erbschaft vergleichbar sei, die man niemandem zumuten könne.

»Ich kann meinen Tod niemand anders überlassen«, sagte sie.

Sobald die Schmerzen so stark wurden, daß der Arzt Morphin spritzen mußte, wollte sie aufhören zu essen. Ihre erste Spritze bekam sie drei

Wochen vor ihrem Tod. Über den Zeitpunkt sagte sie, sie finde, es habe schon was, am Ende des Jahrhunderts zu sterben. Ich habe von da an an ihrem Bett gesessen oder neben ihr gelegen und sie nur noch allein gelassen, wenn ihre Brüder oder ihre Freunde zu Besuch kamen. Mit Margaretha tauschte ich mich in diesen Wochen telefonisch aus.

»Sie stirbt«, habe ich gesagt, als ich sie anrief, nachdem Lotte ihre erste Morphininjektion bekommen hatte. Am anderen Ende der Leitung hörte ich Margaretha ein paarmal heftig schlucken.

»Das ist sehr schlimm, mein Junge«, sagte sie darauf mit brechender Stimme.

»Kennst du das Buch auch gut genug?« hat sie ein paarmal besorgt gefragt, wenn ich neben ihr auf dem Bett lag.

»Ja«, sagte ich.

»Vermeide Adjektive«, sagte sie und schlief wieder ein.

»Weißt du, was sich im Laufe meines Lebens wirklich verändert hat?« fragte sie.

»Nein.«

»Ich habe den Sinn für Geheimnisse verloren.« Sie war müde. Ihre Augen waren halb geschlossen, und ich wartete, ob sie sie ganz schließen oder weiter öffnen würde.

»Befreie dich von deinen Geheimnissen, Max«, sagte sie dann mit schwacher Stimme, »denn deine Geheimnisse machen dich unglücklich.«

»Wie ist es?« habe ich gefragt.

»Es ist furchtbar und auch ganz normal«, hat sie geantwortet. »Der Tod war bei mir wohl immer drin.«

Ich kicherte, und das freute sie.

»Am schlimmsten finde ich, daß ich weiß, wie schmerzlich es für euch sein wird, mein Lieber, für dich und meine Brüder«, flüsterte sie. »Nach dem Tod von TT war mein Leben ein Spagat, gespreizt zwischen dem Leben mit einem Abwesenden und einem Leben, das weiterging, in dem ich umherlief und schrieb und sprach und anwesend war und in dem ich zu einem gegebenen Zeitpunkt partout nicht mehr erklären konnte oder wollte, daß ich noch ein anderes, intimes Leben hatte. Aber ich hatte ein Loch im Herzen, in dem die Hälfte von allem, was ich erlebte, verschwand. Ich hatte immer nur einen Satz im Kopf, aus einem Song von Gladys Knight and The Pips: *I'd rather live in his world, than live without him in mine.*«

»Denkst du doch insgeheim, daß du ihn wiedersehen wirst?«

»Nein«, sagte sie mit Silberblick vor Müdigkeit, »aber ich werde wieder zu etwas ihm Ähnlichem.«

Sie ist in der Morgendämmerung gestorben. Ich habe sie noch eine Stunde lang für mich behalten, ehe ich den Arzt, ihre Brüder und Axel anrief.

»Ich warte im Buch auf dich«, war das letzte, was sie zu mir gesagt hatte. An jenem Abend bin ich, als alle Gäste unser Haus verlassen hatten, in ihr Erbgut eingetaucht, um sie wiederzutreffen. Und ich wußte genau, wo sie war.

Literaturnachweis

Seite 69
Zitat aus: Samuel Beckett, *Molloy.* Aus dem Französischen von Erich Franzen. Suhrkamp Verlag, Frankfurt/M. 1976

Seite 79
Zitat aus: Romano Guardini, *Der Rosenkranz Unserer Lieben Frau.* Matthias-Grünewald-Verlag, Mainz 1998

Seite 89
Dieses und die folgenden Flaubert-Zitate aus: Gustave Flaubert, *Die Briefe an Louise Colet.* Aus dem Französischen von Cornelia Hasting. Haffmans Verlag, Zürich 1995

Seite 138
Zitat aus: Marguerite Duras, *Das tägliche Leben.* Aus dem Französischen von Ilma Rakusa. Suhrkamp Verlag, Frankfurt/M. 1988

Connie Palmen
im Diogenes Verlag

Die Gesetze
Roman. Aus dem Niederländischen von
Barbara Heller

Die Gesetze ist eine Sammlung unkonventioneller Liebesgeschichten, ein moderner Bildungsroman, eine brillant ausgedachte Geschichte von der Suche nach Selbstfindung und Glück.

»Das Wunder eines gelungenen modernen Entwicklungsromans. Tiefsinn und Selbstironie, Gedanke und Einfachheit, distanzierte Subjektivität und lakonische Feinheit der szenischen Beschreibung können miteinander bestehen. Und nicht zuletzt: Das Buch ist ein Findebuch, temporeich, lakonisch, voll Überraschungen.« *Dorothea Dieckmann/Die Zeit, Hamburg*

Die Freundschaft
Roman. Deutsch von Hanni Ehlers

Die Freundschaft ist ein Roman über Gegensätze und deren Anziehungskraft: Über die uralte und rätselhafte Verbindung von Körper und Geist; über die Angst vor Bindungen und die Sehnsucht nach Zugehörigkeit; über Süchte und Obsessionen und die freie Verfügung über sich selbst.
Ein Buch über eine ungewöhnliche Beziehung und über die Selbsterforschung einer jungen Frau, die lernt, ihrem eigenen Kopf zu folgen und sich von falschen Vorstellungen zu befreien. Es erklärt, warum Schuldgefühle dick machen und warum einen die Liebe in den Alkohol treiben kann. Warum man sich vor allem von der Liebe nicht zuviel versprechen darf. Und daß die Erregung im Kopf – das Denken – nicht weniger spannend ist als die im Körper. Ein aufregend

wildes und zugleich zartes Buch voller Selbstironie, das Erkenntnis schenkt und einfach jeden angeht.

»Die selten gelingende Verbindung erzählerischer Lebendigkeit und philosophischer Nachdenklichkeit wird gerühmt. Sie gehört auch zum Roman *Die Freundschaft*. Wer sich Lesen als Animation der Sinne und des Geistes wünscht, dem sei dieses Buch empfohlen.«
Walter Hinck / Frankfurter Allgemeine Zeitung

I.M.
Ischa Meijer – In Margine, In Memoriam
Deutsch von Hanni Ehlers

Im Februar 1991 lernen sie sich kennen: Ischa Meijer, in den Niederlanden als Talkmaster, Entertainer und Journalist berühmt-berüchtigt, macht mit dem neuen Shooting-Star der Literaturszene, Connie Palmen, anläßlich ihres Debüts *Die Gesetze* ein Interview. Es ist zugleich der Beginn einer *amour fou*, die ein Leben lang andauern würde, wenn sie die Zeit dafür bekäme: Im Februar 1995 stirbt Meijer überraschend an einem Herzinfarkt. *I.M.* ist Connie Palmens bewegende Auseinandersetzung mit einer großen Liebe und einem Tod, der sie selbst fast vernichtet hat.

»Der ungeheuer intime Bericht einer glühenden *amour fou* gehört zum Schönsten und Ergreifendsten, was je im Namen der Liebe zu Papier gebracht wurde.«
Beate Berger / Marie Claire, München

»Connie Palmen versucht, den Schmerz mit Worten zu erfassen, das Gefühl, allein nicht mehr leben zu können, die Sehnsucht nach dem Geruch des Partners, die Abneigung dagegen, umarmt zu werden – auch in Zeiten der Trauer und des Trost-Brauchens. Der Tod ist eine schriftstellerische Herausforderung für Connie Palmen, die sie mit einer stupenden Meisterschaft besteht.« *Alexander Kudascheff / Deutsche Welle, Köln*

Die Erbschaft

Roman. Deutsch von Hanni Ehlers

Als die Schriftstellerin Lotte Inden erfährt, daß sie unheilbar krank ist, stellt sie einen jungen Mann ein, der sich nicht nur um ihren zunehmend geschwächten Körper, sondern auch um ihre geistige Hinterlassenschaft kümmern soll. Max Petzler wird zum ersten Leser und Archivar ihrer lebenslangen Aufzeichnungen und Gedanken, die Bausteine für ihren letzten großen Roman. Da Lotte weiß, daß sie dieses Werk nicht mehr vollenden wird, bereitet sie Max darauf vor, daß seine Hände die ihren ersetzen können, ja, daß er ihren Roman zu Ende führen kann.

Je mehr sich Max auf diese ›Erbschaft‹ einläßt, desto mehr beginnt ihn die ungewöhnliche Frau zu faszinieren.

»Connie Palmen schreibt so leichtfüßig, so lakonisch und ironisch über Leben, Liebe und Tod – die großen Menschheitsthemen –, daß ihre Bücher zu Bestsellern wurden und sie selbst zur meistgelesenen niederländischen Autorin.«
Karin Weber-Duve/Brigitte, Hamburg

Jessica Durlacher
im Diogenes Verlag

Das Gewissen

Roman. Aus dem Niederländischen
von Hanni Ehlers

Sie sieht ihn zum ersten Mal an der Universität: Er ist
wie sie jüdischer Abstammung, beide Familien haben
traumatische Kriegserinnerungen, sie erkennt in ihm
ihren Seelenverwandten. Mit aller Wucht wirft sich die
junge Edna in die Katastrophe einer Liebe, die sie für
die ihres Lebens hält. Ein bewegendes Buch über eine
Frau, die erst lernen muß, ihr Leben und Lieben in die
richtige Bahn zu lenken.
Jessica Durlachers Romanerstling stand wochenlang
auf den niederländischen Bestsellerlisten und wurde
mit mehreren Nachwuchspreisen ausgezeichnet.

»Jessica Durlacher schreibt mit Gespür für Situations-
komik und Selbstironie. Wer sich darauf einläßt, kann
verstehen, mitfühlen und mitlachen.«
Ellen Presser/Emma, Köln

»Die klug gebaute Geschichte von Ednas Erwachsen-
werden zwischen Männern, Vätern und jüdischer Vergangenheit liest sich sommerlich leicht, die Einblicke in
die weibliche Psyche sind tief.«
Anne Goebel/Süddeutsche Zeitung, München

Die Tochter

Roman. Deutsch von Hanni Ehlers

Im Anne-Frank-Haus in Amsterdam lernen sie sich
kennen: Max Lipschitz und Sabine Edelstein, beide
Anfang Zwanzig. Ungewöhnlich und schicksalhaft
wie der Ort ihrer Bekanntschaft ist auch die Liebes-
beziehung, die sich zwischen ihnen entspinnt. Zuwei-

len ist Max von Sabines Vergangenheitsbesessenheit irritiert, denn worüber er lieber schweigen möchte, darüber möchte sie fast manisch reden: über die KZ-Vergangenheit ihrer beider Eltern.

Dann ist Sabine auf einmal ohne Erklärung verschwunden, für Max ein lange anhaltendes Trauma. Erst fünfzehn Jahre später sieht er sie überraschend wieder: auf der Frankfurter Buchmesse, in Begleitung eines berühmten jüdischen Filmproduzenten aus Hollywood. Und sofort flammen die alten Fragen, die alten Verletzungen wieder auf. Erst allmählich kommt Max dahinter, welch tragischer Schock für Sabines Verschwinden damals verantwortlich war.

»*Die Tochter* ist ein Roman, in dem Wahrheit und Lüge, das Echte und die Fälschung, Opfer und Täter die Plätze tauschen. Letztendlich ist es eine Abrechnung mit der Kultur des Jammerns. Ein interessantes Buch mit unerwarteten Verwicklungen und einer Botschaft, die man beherzigen sollte.« *Hans Warren / Provinciale Zeeuwse Courant, Vlissingen*

»Ein besonderes Buch, das in die gleiche Kategorie von Meisterwerken gehört wie der legendäre Film *Casablanca* mit Humphrey Bogart und Ingrid Bergman.« *Max Pam / HP / DE TIJD, Amsterdam*

Leon de Winter
im Diogenes Verlag

Hoffmans Hunger
Roman. Aus dem Niederländischen von
Sibylle Mulot

Durch eine spannende Spionage-Geschichte werden
die Schicksale dreier Männer miteinander verwoben:
Felix Hoffman, niederländischer Botschafter in Prag,
der seinen leiblichen und metaphysischen Hunger mit
Essen und Spinoza stillt, Freddy Mancini, Zeuge einer
Entführung in Prag, John Marks, amerikanischer Ost-
blockspezialist. Zugleich die Geschichte von Europa
1989, das sich eint und berauscht im Konsum. Ein
Rausch, der nur in einem Kater enden kann.

»Ein brillanter Roman in einer fabelhaften deutschen
Übersetzung. Leon de Winter bringt etwas zustande,
was die deutschsprachige Literatur seit Jahrzehnten
verlernt zu haben scheint: eine helle, klare, sarkastische
Erzählung von aktueller Welthaftigkeit zu schreiben.«
Wolfram Knorr / Die Weltwoche, Zürich

»*Hoffmans Hunger* ist unvergeßlich.«
Süddeutsche Zeitung, München

1993 mit Elliott Gould und Jacqueline Bisset verfilmt.

SuperTex
Roman. Deutsch von Sibylle Mulot

»Was macht ein Jude am Schabbesmorgen in einem
Porsche!« – bekommt Max Breslauer zu hören, als er
mit knapp hundert Sachen durch die Amsterdamer In-
nenstadt gerast ist und einen chassidischen Jungen auf
dem Weg zur Synagoge angefahren hat. Eine Frage,
die andere Fragen auslöst: »Was bin ich eigentlich?
Ein Jude? Ein Goj? Worum dreht sich mein Leben?«
Max, 36 Jahre alt und 90 Kilo schwer, Erbe eines Tex-

tilimperiums namens SuperTex, landet auf der Couch
einer Analytikerin, der er sein Leben erzählt.

»In direkter Nachbarschaft von Italo Svevos *Zeno
Cosini*, erzählt mit großem dramaturgischem Ge-
schick, raffiniert eingesetzten Blenden und effektvoll
inszenierten Episoden. Das ist große europäische Literatur.« *Martin Lüdke / Die Zeit, Hamburg*

Serenade
Roman. Deutsch von Hanni Ehlers

Anneke Weiss, Mitte Siebzig, seit langem Witwe, hat
ihre Lebenslust und ihren Elan, sich munter in das
Leben ihres Sohnes Bennie, eines verhinderten Kom-
ponisten, einzumischen, gerade erst richtig wieder-
entdeckt. Da diagnostizieren die Ärzte bei ihr ein
Karzinom. Bennie drängt darauf, daß man seiner Mutter ihre tödliche Krankheit verschweigt. Das Leben
scheint ganz normal weiterzugehen – Anneke verliebt
sich sogar in den 77jährigen Fred Bachmann –, doch
alles gerät aus den Fugen: Die alte Dame ist spurlos
verschwunden, und Bennie und Fred machen sich auf
die Suche. Nur vordergründig witzig und leichtfüßig
erzählt dieser Roman von einem Trauma, das jeden
Tag neu aufzubrechen vermag.

»*Serenade* ist ein Abschiedsgesang, die Liebeser-
klärung eines Sohnes an die Mutter und ein Buch über
unser finsteres Jahrhundert. Leon de Winter nimmt
den weiten Bogen mit großer erzählerischer Leichtig-
keit. Als handelte der Roman nicht von der kompli-
ziertesten aller Beziehungen.«
Nina Toepfer / Die Weltwoche, Zürich

Zionoco
Roman. Deutsch von Hanni Ehlers

Als Sol Mayer in Boston in der Boeing 737 auf die
Starterlaubnis nach New York wartet, weiß er noch

nicht, daß dieser Flug sein Leben verändern wird: Der Starprediger von Temple Yaakov, der großen Synagoge an der Fifth Avenue, verliebt sich verzweifelt in seine Sitznachbarin, Sängerin einer kleinen Band. Damit bekommt seine ohnehin nicht ganz intakte Gegenwart noch mehr Risse. Die Ehekrise mit Naomi, Erbin eines Millionenvermögens, läßt sich nicht länger verdrängen. Und beruflich hat sich der liberale Rabbiner mit öffentlichen Angriffen gegen orthodoxe Chassiden gerade mächtige Feinde geschaffen. Vor allem aber wird seine Vergangenheit wieder virulent, die Zeit, in der Sol als Lebemann und Taugenichts gegen den übermächtigen Vater rebellierte. Eine Reihe aufwühlender Ereignisse zwingt ihn schließlich zu einer halluzinatorischen Reise, wunderlicher, als er sich je hätte träumen lassen.

»Leon de Winter katapultiert seine Leser furios in die New Yorker Schickeria, in der Sol Mayer zwischen den Regeln des Talmud und seinen sexuellen Obsessionen hin und her schwankt. Ein hinreißend komisches und zugleich anrührendes Buch.«
Martina Gollhardt / Welt am Sonntag, Hamburg

Der Himmel von Hollywood
Roman. Deutsch von Hanni Ehlers

Als der einst vielversprechende Schauspieler Tom Green nach Verbüßen einer Haftstrafe nach Hollywood zurückkehrt, hat er noch knapp zweihundert Dollar in der Tasche und kaum eine Perspektive. Zufällig trifft er auf zwei Schauspielerkollegen, die wie er schon bessere Tage gesehen haben: den sechzigjährigen Jimmy Kage und den siebzigjährigen Oscar-Preisträger Floyd Benson, der sein Brot jetzt als Installateur von Alarmanlagen verdient. Bei einer nächtlichen Sauftour stoßen die drei am Hollywood Sign auf einen übel zugerichteten Toten, der einem von ihnen kein Unbekannter ist: Floyd Benson vermutet, daß der Tod des kleinen Gangsters Tino mit einer Riesensumme Geld und mafiosen Machenschaften in Zusammenhang steht. Die drei sympathischen Loser planen den Coup ihres Lebens ...

»Raffiniert, unterhaltsam, komödiantisch – immer wieder zum Erstaunen und zur Verzückung des Lesers.« *Volker Hage / Der Spiegel, Hamburg*

Sokolows Universum
Roman. Deutsch von Sibylle Mulot

Ein Straßenkehrer in Tel Aviv wird Zeuge eines Mordes. Der Mann zweifelt an seinem Verstand, denn er glaubt, in dem Mörder einen alten Freund erkannt zu haben. Und dies würde in der Tat alle Regeln der Wahrscheinlichkeit außer Kraft setzen. Denn Sascha Sokolow ist kein gewöhnlicher Straßenkehrer. Noch vor kurzem war der emigrierte Russe einer der angesehensten Raumfahrtforscher seines Landes.

»In wunderbaren Rückblenden und intelligent-witzigen Dialogen gelingt De Winter nicht nur ein spannender Krimi, sondern ein Kaleidoskop der Welt, das von Liebe und Angst, Enttäuschungen und Leidenschaft, von Verrat und Hoffnung geprägt ist, ein Roman voller Überraschungen und phantastischer Wendungen.«
Joachim Knuth / Norddeutscher Rundfunk, Hamburg

Leo Kaplan
Roman. Deutsch von Hanni Ehlers

Der Schriftsteller Leo Kaplan, fast vierzig, fast Millionär, ist ein Virtuose des Ehebruchs. Bis es seiner Ehefrau Hannah zu bunt wird. Kaplan muß erkennen, daß er durch seine Liebeseskapaden nicht nur seine Ehe, sondern auch seine Kreativität verspielt hat. Erst als er überraschend seine große Jugendliebe wiedertrifft, beginnt er zu verstehen, wie er zu dem wurde, der er heute ist. Ein bewegender Roman über die Sehnsucht und die Suche nach den eigenen Wurzeln.

»Dem Leser schlägt in *Leo Kaplan* eine ungezügelte Phantasie und erzählerische Vitalität entgegen, die so unterhaltsam wie verblüffend ist.«
Volker Isfort / Abendzeitung, München

Malibu
Roman. Deutsch von Hanni Ehlers

Kurz bevor sie ihren 17. Geburtstag feiern kann, kommt Mirjam bei einem Verkehrsunfall ums Leben. Ihrem Vater, Joop Koopman, ist es nicht vergönnt, sich seiner Trauer hinzugeben. Sein Freund Philip verwickelt ihn in einen Spionagefall für den israelischen Geheimdienst, seine Cousine Linda in ihre buddhistische Wiedergeburtstheorie. Tragödie, Politspionage und metaphysischer Thriller in einem – Leon de Winters kühnster Roman.

»Nach diesem Roman steht fest, daß Leon de Winter auf einem außerordentlich hohen Niveau schreiben kann. *Malibu* hat mich von A bis Z gebannt – ein hervorragendes Buch, das man in einem Rutsch durchliest und bei dem man sich auf der letzten Seite wünscht: Mehr!«
Max Pam / HP/DE TIJD, Amsterdam